Leitfaden zur Erfassung des psychopathologischen Befundes

Erdmann Fähndrich
Rolf-Dieter Stieglitz

Leitfaden zur Erfassung des psychopathologischen Befundes

Halbstrukturiertes Interview
anhand des AMDP-Systems

6., überarbeitete Auflage

hogrefe

Prof. Dr. Rolf-Dieter Stieglitz
Obere Dorfstraße 10A
4126 Bettingen
Schweiz
E-Mail: rdstieglitz@bluewin.ch

Zu diesem Leitfaden ist außerdem das AMDP-Manual lieferbar: AMDP (Hrsg.). (2023). *Das AMDP-System. Manual zur Dokumentation des psychischen Befundes in Psychiatrie, Psychotherapie und Psychosomatik* (11., vollst. überarb. Aufl.). Göttingen: Hogrefe.

Zu diesem Leitfaden ist außerdem folgender Titel lieferbar: Stieglitz, R.-D., Haug, A., Kis, B., Kleinschmidt, S. & Thiel, A. (Hrsg.). (2023). *Praxisbuch AMDP. Psychopathologische Befunderhebung – Grundlagen und Anwendungsbeispiele* (2., akt. u. erw. Aufl.) Göttingen: Hogrefe.

Bibliografische Information der Deutschen Nationalbibliothek
Die Deutsche Nationalbibliothek verzeichnet diese Publikation in der Deutschen Nationalbibliografie; detaillierte bibliografische Daten sind im Internet über http://dnb.dnb.de abrufbar.

Hogrefe Verlag GmbH & Co. KG
Merkelstraße 3
37085 Göttingen
Deutschland
Tel. +49 551 999 50 0
Fax +49 551 999 50 111
info@hogrefe.de
www.hogrefe.de

Satz: Franziska Stolz, Hogrefe Verlag GmbH & Co. KG, Göttingen
Druck: PBtisk a.s., Příbram
Printed in Czech Republic
Auf säurefreiem Papier gedruckt

6., überarbeitete Auflage 2023 C B A

(E-Book-ISBN [PDF] 978-3-8409-3114-7; E-Book-ISBN [EPUB] 978-3-8444-3114-8)
ISBN 978-3-8017-3114-4
https://doi.org/10.1026/03114-000

Geleitwort zur 6. Auflage

Das von der Arbeitsgemeinschaft für Methodik und Dokumentation in der Psychiatrie (AMDP) herausgegebene AMDP-System gehört mittlerweile zu den Klassikern in der Ausbildung von Ärzten, Psychologen und anderen in der Psychiatrie tätigen Berufsgruppen. Es ist im deutschsprachigen Raum die einzige Möglichkeit, psychopathologische Kenntnisse umfassend, systematisch und standardisiert zu erlernen. Andere Länder, wie der anglo-amerikanische Sprachraum, die sich traditionell weniger mit psychopathologischen Fragen und Konzepten befassen, können nicht auf vergleichbare Instrumente zurückgreifen.

Von AMDP-Trainern der AMDP-Systemgruppe werden in Deutschland und der Schweiz fortlaufend und flächendeckend AMDP-Trainingsseminare angeboten.

Über das eigentliche AMDP-Manual hinaus haben die in den AMDP-Arbeitsgruppen engagierten Kliniker und Wissenschaftler immer wieder die Ergebnisse ihrer Bemühungen zusammenfassend dargestellt (Haug & Stieglitz, 1997; Maier et al., 2000; Rösler et al., 2012; Stieglitz et al., 2017; Stieglitz et al., 2023) und neue, das AMDP-System ergänzende Instrumente vorgelegt (Freyberger & Möller, 2004).

In den regelmäßig stattfindenden Psychopathologie-Trainingsseminaren wurde sowohl in der Arbeit mit Berufsanfängern als auch mit fortgeschrittenen Teilnehmern sehr schnell deutlich, dass als Ergänzung des AMDP-Manuals ein Leitfaden erforderlich ist, der Vorschläge macht, wie die Informationen zur Erhebung der psychopathologischen Merkmale gewonnen werden können. Es hat sich immer wieder herausgestellt, dass es schwierig sein kann, die zu beurteilenden psychopathologischen Symptome auf geeignete Weise richtig zu erfragen.

Vor diesem Hintergrund wurde von Erdmann Fähndrich und Rolf-Dieter Stieglitz, die sich beide seit vielen Jahren mit dem AMDP-System klinisch und wissenschaftlich befassen, dieser Leitfaden entwickelt, der dem Leser ein halbstrukturiertes Interview an die Hand gibt. Der Erfolg dieses Leitfadens, der mittlerweile in der 6. Auflage erscheint, belegt, wie wichtig AMDP in der psychopathologischen Grundausbildung auch nach mehr als 50 Jahren geblieben ist. Der grundlagenorientierte Interviewleitfaden ist heute unentbehrlich geworden.

Homburg,
Sommer 2022

Prof. Dr. Michael Rösler
Vorsitzender von AMDP e.V.

Literatur

Freyberger, H.-J. & Möller, H.-J. (Hrsg.). (2004). *Die AMDP-Module.* Göttingen: Hogrefe.

Haug, H.-J. & Stieglitz, R.-D. (Hrsg.). (1997). *Das AMDP-System in der klinischen Anwendung und Forschung.* Göttingen: Hogrefe.

Maier, W., Engel, R.R. & Möller, H.-J. (Hrsg.). (2000). *Methodik von Verlaufs- und Therapiestudien in Psychiatrie und Psychotherapie.* Göttingen: Hogrefe.

Rösler, M., Thiel, A., Domke, A. & Stieglitz, R.-D. (2012). 50 Jahre AMDP-System – Eine Bestandsaufnahme. *Zeitschrift für Psychiatrie, Psychologie und Psychotherapie, 60*, 269–280.

Stieglitz, R.-D., Haug, A., Fähndrich, E., Rösler, M. & Trabert, W. (2017). Comprehensive psychopathological assessment based on the Association for Methodology and Documentation in Psychiatry, (AMDP) System: Development, methodological foundation, application in clinical routine, and research. *Frontiers in Psychiatry, 8.*

Stieglitz, R.-D., Haug, A., Kis, B., Kleinschmidt, S. & Thiel, A. (Hrsg.). (2023). *Praxisbuch AMDP* (2. Aufl.). Göttingen: Hogrefe.

Inhaltsverzeichnis

Vorwort zur 6. Auflage

Das AMDP-Manual liegt inzwischen bereits in seiner 11. Auflage (AMDP, 2023) vor. Während in den Anfangsjahren zunächst vor allem der wissenschaftliche Anspruch im Vordergrund stand, ein reliables und valides Instrument zur Evaluation der Effektivität psychopharmakologischer Interventionen zur Verfügung zu haben, gewann das System zunehmend auch in der klinischen Arbeit an Bedeutung. Heute ist gerade dieser Aspekt von zentraler Bedeutung.

Das AMDP-System wurde seit dem erstmaligen Erscheinen mehrfach revidiert. Neben der Verbesserung von Reliabilität und Validität waren jeweils auch praktische Aspekte dabei von großer Bedeutung. Ziel war immer, die Benutzerfreundlichkeit zu erhöhen sowie Schwierigkeiten und Unklarheiten in der Anwendung zu beseitigen. Vor allem die 5. Auflage des Systems (AMDP, 1995) ist unter diesen Aspekten ein wichtiger Schritt in diese Richtung gewesen. In erster Linie hat die vereinheitlichte Darstellung der Symptome nach den Punkten Definition, Erläuterungen und Beispiel, Hinweise zur Graduierung sowie abzugrenzende Merkmale hierzu beigetragen.

Auch die Entwicklung des Interviewleitfadens verfolgt das Ziel, die Benutzerfreundlichkeit zu erhöhen. Gerade für Anfänger erwies es sich immer als schwierig, die zur Erstellung z. B. des psychopathologischen Befundes notwendigen Informationen hinreichend genau zu erfragen. Aber auch für Fortgeschrittene war dies nicht immer unproblematisch. Basierend auf Erfahrungen aus der eigenen klinischen Arbeit und wichtigen Erfahrungen aus Trainingsseminaren wurde 1989 ein erster Interviewleitfaden herausgegeben (Fähndrich & Stieglitz, 1989). Er zielte darauf ab, dem Untersucher Handlungsweisen und Vorschläge zu einer Erhebung der Befunde zu vermitteln, ohne ihn zu sehr in der Gesprächsführung einzuengen.

Das Interview ist sowohl für die Praxis als auch für die Forschung konzipiert worden. In der Praxis soll es dem Benutzer – unabhängig davon, ob die AMDP-Belege ausgefüllt werden –

Hilfestellung bei der Erstellung eines psychopathologischen Befundes geben. Im Bereich der klinischen Forschung und der Routinedokumentation soll es gewährleisten, dass alle Untersucher in etwa die gleiche Vorgehensweise bei der Informationserhebung wählen. Das Interview ist also an den praktischen Bedürfnissen des Klinikers und Forschers orientiert.

Parallel zur 11., vollständig überarbeiteten Auflage des AMDP-Manuals (AMDP, 2023) wird hiermit die 6., überarbeitete Auflage des Interviewleitfadens vorgelegt. Grundlegend überarbeitet wurde wiederum der theoretische Teil des Interviewleitfadens. Bei den praktischen Teilen des Leitfadens wurden vor allem die AMDP-relevanten Aspekte berücksichtigt (u. a. Orientierung an der Differenzierung von sog. S- oder F-Symptomen). Der Fragenkatalog und die Anhänge wurden ebenfalls überarbeitet und erweitert.

Auch diese Auflage soll allen in der Behandlung von Patienten mit psychischen Störungen Tätigen eine Hilfestellung sein, die zum Verständnis einer Störung wichtigen Phänomene zu erfassen, um den Patienten dadurch besser helfen zu können.

Berlin und Bettingen,
Sommer 2022

Erdmann Fähndrich und
Rolf-Dieter Stieglitz

1 Psychopathologische Befunderhebung

1.1 Funktionen

Unter *Psychopathologie* versteht man nach Mombour (1996, S. 21) die Lehre von den krankhaften Veränderungen des Seelenlebens. Diese manifestieren sich als einzelne Symptome oder in komplexen Erlebens- und Verhaltensänderungen. Sie können in einem Zuviel oder Zuwenig der normalen seelischen Funktionen bestehen. Ziel von Psychopathologie ist es nach Hoff (1997), am Patienten beobachtbare oder explorierbare seelische Sachverhalte systematisch zu beschreiben, also ein reliables und valides Begriffssystem für z. B. depressive oder paranoide Zustände bereitzustellen. Dieses Vorgehen wird auch als *deskriptive Psychopathologie* bezeichnet (vgl. hierzu auch Hoff, 1995). Die einzelnen psychopathologischen Symptome lassen sich dabei in *inhaltlich zusammengehörige Bereiche* gruppieren.

Im AMDP-System (AMDP, 2023) werden folgende *Merkmalsbereiche* zugrunde gelegt: Bewusstseinsstörungen, Orientierungsstörungen, Aufmerksamkeits- und Gedächtnisstörungen, Formale Denkstörungen, Befürchtungen und Zwänge, Wahn, Sinnestäuschungen, Ich-Störungen, Störungen der Affektivität, Antriebs- und psychomotorische Störungen, Circadiane Besonderheiten sowie eine Restgruppe, die mit Andere Störungen bezeichnet wird. Ergänzend dazu lassen sich somatische Symptome auf einem eigenen Bogen dokumentieren. Mit der *Erhebung eines psychopathologischen Befundes* sollen all diejenigen psychischen Symptome erfasst werden, die für die Kennzeichnung der aktuellen psychischen Störung bedeutsam sind.

Während die Psychopathologie den Querschnitt oder den Verlauf symptomatologisch bzw. syndromatologisch abbildet, sagt sie allein nichts Definitives über Ätiologie und Pathogenese der zugrunde liegenden Störung aus (Freyberger et al., 2012; Stieglitz & Freyberger, 2019). Neben der Deskription des Störungsbildes hat der psychopathologische Befund weitere Funktionen.

Er stellt den Ausgangspunkt für die *Wahl therapeutischer Interventionen* dar, hat aber auch eine *evaluative Funktion*, indem z. B. der Therapieverlauf und damit die Effektivität einer therapeutischen Intervention überprüft werden kann. Dies kann sowohl auf Symptomebene als auch auf Syndromebene erfolgen. Zudem dient die psychopathologische Befunderhebung auch als Grundlage für die *Diagnosenstellung* (vgl. hierzu auch Stieglitz, 2008). Ohne fundierte Kenntnisse psychopathologischer Begrifflichkeiten lassen sich keine zuverlässigen klinischen Diagnosen nach den aktuellen Klassifikationssystemen ICD-10/-11 und DSM-5 stellen! Beispiele für die verschiedenen Anwendungsbereiche des AMDP-Systems finden sich im „Praxisbuch AMDP" (Stieglitz et al., 2023).

1.2 Psychiatrische Gesprächsführung

Eine gute psychiatrische Gesprächsführung ist eine notwendige Voraussetzung für eine reliable Erhebung des psychopathologischen Befundes. Gerade für Anfänger in diesem Bereich ist dies oft schwierig. Daher muss die Schulung in psychiatrischer Gesprächsführung auch ein wesentlicher Bestandteil der Ausbildung in Psychopathologie sein. Es gibt keinen „Goldstandard" der Gesprächsführung und auch kein Patentrezept, jedoch einige allgemeine Regeln, die es zu berücksichtigen gilt (vgl. auch Othmer & Othmer, 1994; Dittmann, 1996; Stieglitz & Freyberger, 2019). Hierzu zählen u. a. Aufmerksamkeit, Zuwendung, auch das aktive und interessierte Zuhören, das bedingungsfreie Akzeptieren, eine freundlich-zugewandte Annahme der Äußerungen des Patienten sowie die Vermittlung von Hoffnung (vgl. auch Kapitel 3.3.2.2).

Hinweise auf eine wenig professionelle Gesprächsführung ergeben sich aus häufig zu beobachtenden *Fehlern*. Nach Haug (2017) sind dies u. a. folgende Punkte:

- Dem Patienten werden die Führung und die Kontrolle des Gesprächs überlassen, weshalb dann bestimmte Problembereiche gar nicht angesprochen werden.

- Schwierige und zum Teil „peinliche“ Bereiche oder Themen werden gleich zu Beginn des Gesprächs angesprochen. Dies setzt jedoch ein Vertrauensverhältnis voraus, was sich erst im Laufe des Gesprächs oder über mehrere Gespräche hinweg entwickeln kann.
- Abstrakte und zu intellektuelle Fragen führen oft zu einer Überforderung des Patienten.
- Nicht förderlich für den Gesprächsverlauf ist ein Kommunikationsstil, der sich z. B. durch Suggestivfragen (s. u.), abrupte Themenwechsel oder zu lange Pausen kennzeichnen lässt.

Solche und auch andere Fehlerquellen können durch diagnostische Hilfsmittel wie den vorliegenden Interviewleitfaden reduziert werden.

1.3 Fehlerquellen im diagnostischen Prozess

1.3.1 Allgemeine Fehlerquellen

Neben den im vorangegangenen Abschnitt aufgeführten allgemeinen Problemen der psychiatrischen Gesprächsführung werden in der Literatur insbesondere sogenannte *Fehler- oder Varianzquellen* im diagnostischen Prozess diskutiert, die auch im Hinblick auf die Erhebung des psychopathologischen Befundes von großer Bedeutung sind (vgl. Stieglitz & Freyberger, 2019). Hervorzuheben ist hier insbesondere die Fehlerquelle Informationsvarianz sowie Beobachtungsvarianz. *Informationsvarianz* bedeutet, dass verschiedenen Untersuchern unterschiedliche Informationen über den Patienten und seine Erkrankung zur Verfügung stehen. Ein wesentlicher Faktor, der dazu beiträgt, ist die Art und Weise, wie Fragen gestellt werden, d. h. die Art der Exploration der interessierenden Phänomene. Die *Beobachtungsvarianz* bedeutet, dass verschiedene Untersucher selbst bei gleicher Information zu unterschiedlichen Beurteilungen über das Vorhandensein und/oder den Schweregrad von bestimmten Symptomen kommen. Die Bedeutung dieser Fehlerquellen konnte in einer Reihe von Studien belegt werden. So wurde bereits in den 1960er Jahren in der Arbeitsgruppe um Beck (vgl. Beck et al., 1962; Ward et al., 1962) festgestellt, dass etwa 30 % der Inkonsistenzen zwischen Urteilern durch Unterschiede in der Befragungstechnik (= Informationsvarianz) und Bewertung der Symptome (= Beobachtungsvarianz) erklärt werden konnten. Wittchen (1993) kam zu ähnlichen Ergebnissen. Auch er fand, dass bei 60 % der beobachteten Inkonsistenzen zwischen Urteilern vor allem Unterschiede in der Auswahl und der Formulierung von Symptomfragen verantwortlich gemacht werden konnten. Nur 9 % der Inkonsistenzen waren auf das Antwortverhalten des Patienten zurückzuführen.

Zur Kontrolle und Beseitigung dieser Fehlerquellen sind verschiedene Strategien hilfreich:
- Die *Beobachtungsvarianz* lässt sich durch klare Definitionen der zu beurteilenden Phänomene reduzieren. Mit dem AMDP-System liegt in manualisierter Form ein Glossar der wichtigsten psychopathologischen Begriffe vor.
- Die *Informationsvarianz* lässt sich durch eine einheitliche und systematische Form der Befragung reduzieren. Hier bietet sich der Einsatz von Interviewverfahren an, auf die in Kapitel 1.4 kurz eingegangen wird. Auch der vorliegende Interviewleitfaden dient dazu.

1.3.2 Spezielle Fehlerquellen bezogen auf das AMDP-System

Bei der Befunderhebung mit dem AMDP-System sind zunächst einige allgemeine Punkte zu beachten:
- Bestimmte Phänomene sind meist nur aus dem Verlauf des Gesprächs heraus zu beurteilen. Es kann sich dabei um sprachliche (z. B. Neologismen) oder nicht-sprachliche Phänomene (z. B. affektarm) handeln.
- Einige Phänomene müssen dezidiert geprüft werden (z. B. Auffassungsstörungen).
- Viele Symptome lassen sich nur aufgrund der Selbstberichte des Patienten bewerten (z. B. gehemmtes Denken).

- Einige Punkte lassen sich eher punktuell im Gespräch beobachten (z. B. Neologismen), andere eher überdauernd (z. B. affektarm).

Die Nichtberücksichtigung dieser Punkte führt zu unzuverlässigen Bewertungen.

In der praktischen Arbeit mit dem AMDP-System lässt sich weiterhin eine Reihe von speziellen Fehlerquellen erkennen. Diese sind eng mit dem AMDP-System verbunden, gelten jedoch auch allgemein in der psychopathologischen Befunderhebung.

Zu den *allgemeinen Fehlerquellen* zählen:
- unzureichende Exploration von Symptomen,
- Interviewfehler (z. B. Suggestivfragen ohne weiteres Nachfragen),
- zu starke Steuerung der Exploration durch diagnostische Hypothesen (Annahme „Patient hat sicherlich eine Schizophrenie, also hat er auch folgende Symptome ...“),
- falsche Schlussfolgerungen (z. B. wenn Symptom X vorhanden, ist sicherlich auch Symptom Y vorhanden).

Speziell zu den auf *AMDP bezogenen Fehlerquellen* zählen:
- unzureichende Nutzung des Manuals,
- Nicht-Beachtung des Entscheidungsbaums,
- Verzicht auf klinische Prüfungen bei einigen Symptomen (vor allem aus dem Bereich Orientierungsstörung, Aufmerksamkeits- und Gedächtnisstörung),
- Nicht-Berücksichtigung der Unterscheidung zwischen den S-, F- und SF-Merkmalen.

Die meisten dieser Fehlerquellen lassen sich mithilfe des Interviewleitfadens und unter Verwendung des AMDP-Manuals vermeiden.

1.4 Hilfsmittel zur psychopathologischen Befunderhebung

In Anlehnung an Kessler (1999) versteht man unter einem *Interview* eine zielgerichtete mündliche Kommunikation zwischen einem Befrager (hier: Arzt oder Psychologe) und einem Befragten (hier: Patient), wobei eine Informationssammlung über das Verhalten und Erleben der befragten Person im Vordergrund steht.

Interviewverfahren gehören mittlerweile, insbesondere im Bereich der psychiatrischen Forschung, fast schon zur Routine und haben dort bereits eine lange Tradition, insbesondere in Studien zur psychiatrischen Epidemiologie (Wittchen et al., 2001; Stieglitz, 2008).

Tabelle 1: Formen von Interviews (nach Wittchen et al., 2001)

Bezeichnung	Kennzeichen
Klinisches Interview	Freies klinisches Gespräch mit zuvor definierter Zielsetzung; Ablauf (Struktur) des Gesprächs sowie Formulierung der Fragen wird vom Interviewer individuell festgelegt; Auswertung ist nicht explizit festgelegt
Halbstrukturiertes Interview/ halbstrukturierter Interviewleitfaden	Fragen werden vorgegeben, Reihenfolge ist variabel, Zusatzfragen, Umformulierungen und Ergänzungen sind möglich, ebenso Erläuterungen; Auswertung ist nicht explizit festgelegt
Strukturiertes Interview	Fragen und Ablauf sind vorgegeben, ebenso Auswertung
Standardisiertes Interview	Gesamter Prozess der Informationserhebung und Auswertung ist festgelegt (inkl. der Kodierung der Antworten der Befragten)

Es lassen sich, wie aus Tabelle 1 zu ersehen ist, verschiedene Arten von Interviews unterscheiden bezüglich des Ausmaßes der Formalisierung. Nach Wittchen et al. (1988) werden bei *strukturierten Verfahren* verbale Informationen systematisiert bei größtmöglicher Kontrolle der Befragung, wobei Wortlaut der Fragen, Reihenfolge und Antwortkategorien im Wesentlichen festgelegt sind. Bei *standardisierten Verfahren* sind alle Ebenen der Informationssammlung genau festgelegt (von der Formulierung und Reihenfolge der Fragen über die Kodierung bis hin zur Auswertung). Während bei strukturierten Interviews die Beurteilungen durch den Rater meist noch auf klinischen Einschätzungen beruhen, basieren die Beurteilungen bei standardisierten Interviews fast ausschließlich auf den Angaben des Patienten, d.h. der Interviewer hat praktisch keinen eigenen Gestaltungs- und Entscheidungsspielraum mehr. Es lässt sich somit von einem Kontinuum von einem freien klinischen Interview bis hin zu einer voll standardisierten Befragung ausgehen.

Gemeinsam ist allen Interviewverfahren, die bei einer freien Befunderhebung auftretenden Fehlerquellen, insbesondere sogenannte Urteilsfehler (vgl. hierzu auch Stieglitz et al., 2001), zu reduzieren, da diese nicht unwesentlich auch von der Interviewtechnik abhängen.

Jeder Erhebungsansatz ist mit Vor- und Nachteilen verbunden. So gaben z.B. in einer Studie von Helzer (1981) zu einem strukturierten Interview 66% der Befragten einen größeren Zeitbedarf zur Informationssammlung an; 60% gaben jedoch gleichzeitig auch an, diese Informationen vollständiger erhoben zu haben als in einem freien Interview. Bereits Saghir (1971) konnte für die freie Exploration zeigen, dass die Aufmerksamkeit sehr stark auf das vordergründige Beschwerdenbild fixiert wird und bedeutsame andere Bereiche nicht erfasst werden.

Die Einführung und der Einsatz von Interviews haben vorrangig zum Ziel, die Güte der erhobenen diagnostischen Information zu verbessern. Nach Kessler (1999) lassen sich jedoch die *Gütekriterien* von psychologischen Tests (Objektivität, Reliabilität, Validität; vgl. auch Lienert & Raatz, 1994) nicht ohne Weiteres auf Interviews übertragen, da wegen der Komplexität des Interaktionsgeschehens mehrere Subformen der jeweiligen Gütekriterien getrennt zu bewerten sind, zumal die globale Frage nach z.B. *der* Reliabilität oder Validität des Interviews ebenso wenig sinnvoll ist, wie diejenige nach *der* Reliabilität oder Validität eines Tests, da unterschiedliche Formen zu unterscheiden sind.

Im Hinblick auf Interviews ist der Aspekt der *Interrater-Reliabilität* von besonderer Bedeutung, d.h. die Bestimmung des Ausmaßes, inwieweit unterschiedliche Untersucher zur selben Einschätzung gelangen. Vor allem standardisierte Interviews stoßen trotz nachgewiesener hoher Reliabilität im klinischen Setting oft auf Widerstand (Wittchen et al., 1988). Bei Formalisierungsbemühungen sind daher verschiedene Aspekte zu berücksichtigen:

- Praktikabilität,
- Akzeptanz des Ansatzes für den Kliniker,
- Gefahr des Verlustes der klinischen Relevanz (z.B. wenn Fragen keine „ökologische Validität" mehr aufweisen).

Heute finden strukturierte und standardisierte Interviews vor allem zur Diagnosestellung im Kontext der klassifikatorischen Diagnostik nach ICD-10/-11 oder DSM-5 Anwendung, meist jedoch nur in der Forschung. In der klinischen Routine haben sich derartige Verfahren wegen des i.d.R. hohen Zeitaufwands sowie des vorab zu erfolgenden Trainings in den Instrumenten bisher nicht durchsetzen können.

Für eine Reihe von bereits seit vielen Jahren existierenden Fremdbeurteilungsverfahren (z.B. Bech-Rafaelsen-Melancholie-Skala, BRMS; Stieglitz et al., 1998) wurden ergänzend ebenfalls (halb-)strukturierte Interviews entwickelt, um auch hier die Informationserhebung zu verbessern (vgl. im Überblick Stieglitz et al., 2001). Verschiedene Arbeiten konnten zeigen (z.B. Williams, 1988 sowie Stieglitz et al., 1998), dass sich durch solche Interviews Reliabilitätsverbesserungen erzielen lassen. Sie sind i.d.R. relativ leicht erlernbar. Der Prozess der Informationserhebung dauert zudem meist nicht länger als beim freien klinischen Interview.

Während sich die meisten Interviews auf eindimensionale Verfahren z.B. aus dem Depressionsbereich beziehen, liegt mit dem Interviewleitfaden zum AMDP-System das einzige deutschsprachige Instrument vor, das ein weites Spektrum klinisch bedeutsamer psychopathologischer Phänomene zu erfassen erlaubt.

Zwischenzeitlich wurde der Grundgedanke des Leitfadens wiederholt aufgegriffen (vgl. Tabelle 2). Ahrens et al. (2004) entwickelten einen Leitfaden für das AMDP-Depressionsmodul, ein speziell für die Dokumentation depressiver Symptomatik über die Kernsymptomatik im AMDP-System hinaus erweitertes Modul. Stieglitz und Ermer (2004) konzipierten auf Basis des AMDP-Systems eine Checkliste zur Erfassung von Selbst- und Fremdgefährdung. Zur Erfragung der relevanten Aspekte diente der hier vorliegende Interviewleitfaden als Ausgangspunkt.

Tabelle 2: Interviews mit Bezug zum AMDP-System

Verfahren	Interview
AMDP-Modul Depression	Interviewleitfaden zum AMDP-Modul zur Depression (Ahrens et al., 2004)
Bewertung von Selbst- und Fremdgefährdung	AMDP-Checkliste zur Bewertung von Selbst- und Fremdgefährdung (AMDP-CLSF; Stieglitz & Ermer, 2004)

Auch die Entwicklung des Interviews zur Bech-Rafaelsen-Melancholie-Skala (BRMS) von Stieglitz, Smolka, Bech und Helmchen (1998) erfolgte in enger Anlehnung an den Interviewleitfaden zum AMDP-System (Fähndrich & Stieglitz, 1989).

1.5 Psychopathologische Befunderhebung mit dem AMDP-System

AMP/AMDP blickt bereits auf eine lange Geschichte zurück (vgl. Fähndrich et al., 1983; Fähndrich & Woggon, 1997). Anfänge der Entwicklung sind seit Ende der 1950er, Anfang der 1960er Jahre zu beobachten. Die unterschiedlichen Bemühungen führten 1969 zur Herausgabe des AMP-Systems (Angst et al., 1969). 1971 wurde das erste Manual herausgegeben (AMP, 1971), 1979 wurde die revidierte Fassung unter der veränderten Bezeichnung AMDP-System in 3. Auflage publiziert (AMDP, 1979). 1995 erschien die 5., völlig überarbeitete Auflage, die 1997 als 6. und 2000 als 7. Auflage nachgedruckt wurde. Hauptneuerung war die Vereinheitlichung der Darstellung aller Symptome (Definition, Erläuterungen und Beispiele, Hinweise zur Graduierung, abzugrenzende Begriffe). In die 9. Auflage (AMDP, 2016) wurden Zusatzmerkmale für den Psychischen und Somatischen Befund aufgenommen. Die 11. Auflage (AMDP, 2023) des AMDP-Systems unterscheidet sich gegenüber der Auflage davor durch eine gründliche Bearbeitung des Psychischen und Somatischen Befundes. Besonderer Wert wurde erneut auf folgende Aspekte gelegt:

- Verbesserung der Nutzerfreundlichkeit,
- Eliminierung von Unklarheiten und Inkonsistenzen,
- Präzisierung der Definitionen,
- genaue Unterscheidung zwischen S- und F- bzw. SF-Symptomen.

In der jetzt gültigen 11. Auflage (AMDP, 2023) wurde zudem besonderes Augenmerk auf die weitere Verbesserung der Graduierung gelegt. Zudem wurde geprüft, ob in der ICD-11 neue psychopathologische Phänomene enthalten sind, was jedoch nicht der Fall war. Psychiatrische Forschung und Praxis ist darauf angewiesen, den Menschen ganzheitlich zu erfassen, d.h. auf allen Betrachtungsebenen (z.B. psychologische, biologische) gleichzeitig. Dies setzt voraus, dass für jede Ebene eine exakte Sprache zur Verfügung steht. Mit dem AMDP-System existiert eine derartige Fachsprache, welche die psychologische Datenebene des psychiatrischen Sektors mittels Fremdbeurteilung oder sog. Ratings exakter zu erfassen erlaubt.

Die Handlungsstruktur eines Ratings ist in Anlehnung an Baumann und Seidenstücker (1977), bezogen auf das AMDP-System, in Tabelle 3 zusammenfassend dargestellt.

Tabelle 3: Bestimmungselemente von Ratings bezogen auf das AMDP-System (nach Baumann & Seidenstücker, 1977; aus Baumann & Stieglitz, 1983, S. 5)

Bestimmungs-elemente	Beispiele	AMDP-System
Rater/Beurteiler	Therapeut, Pflegepersonal, Bezugsperson etc.	Arzt, Psychologe
Situation	natürlich bis konstruiert; undurchschaubar bis durchschaubar	konstruiert, durchschaubar
Reaktions-ausschnitt	Erlebnisweisen, Verhaltensweisen; aktuell, vergangen	Erlebnis- und Verhaltensweisen, Leistungsmerkmale, aktuell und vergangen
Reaktions-stichprobe	unspezifiziert; unsystematisch bis systematisch (Ereignisstichproben oder Zeitstichproben)	global spezifiziert (z.T. Zeitbereich), unsystematisch
Kodierungsregel	unspezifiziert bis explizit	z.T. explizit (Manual)
Beurteilter Parameter	Häufigkeit, Dauer, Intensität	Integral von Häufigkeit, Dauer, Intensität
Beobachtungs-einheit	beobachtbar bis erschließbar; einzelheitlich bis global	beobachtbar, erschließbar; einzelheitlich, global
Skalierungsform	numerisch, grafisch, semantisch	semantisch (nicht vorhanden – schwer, keine Aussage)
Zeitrelation zwischen Urteil und Reaktions-ausschnitt	simultan oder retrognostisch	gleich nach Interview

Tabelle 3: Fortsetzung

Bestimmungs-elemente	Beispiele	AMDP-System
Auswertungs-regeln	unspezifiziert bis spezifiziert	eher unspezifiziert, bei Syndromen spezifiziert
Aussage	Klassifikation, Statusdiagnostik, Veränderungs-diagnostik, Prognose	Statusdiagnostik, indirekt auch Veränderungs-diagnostik

Die Ausgestaltung der einzelnen Elemente beeinflusst die Güte (Reliabilität) eines Ratingsystems. Je höher der Formalisierungsgrad in den einzelnen Aspekten, desto besser die Reliabilität. Der Präzisionsgewinn wird jedoch teilweise durch Beeinträchtigung der Validität erkauft. Beim AMDP-System wird versucht, einen mittleren Weg einzuschlagen, d.h. den Formalisierungsgrad nicht zu extrem zu gestalten (vgl. im Detail Baumann & Stieglitz, 1983). So war früher die Datengewinnung offen, d.h. es gab bisher keine Vorgaben (Reaktionsstichprobe wenig systematisiert). Fragestil, -form und -reihenfolge waren dem einzelnen Untersucher überlassen, was sicherlich mit zu den zum Teil geringen Reliabilitäten auf Symptomebene beigetragen hat (vgl. hierzu auch Baumann & Stieglitz, 1983). So fanden bereits Busch und Vogel (1977) beim Vergleich der Übereinstimmung zwischen freiformulierten und psychopathologischen Aufnahmebefunden mit den alten AMP-Merkmalen nur eine Übereinstimmung von ca. 35%. Sie führten diese Diskrepanzen u.a. auf eine möglicherweise ungenaue Exploration zurück. Ein weiteres wichtiges Ergebnis dieser Arbeit war die Feststellung, dass der Zeitaufwand mit AMDP nicht höher war als im Rahmen einer freien Exploration, jedoch der Grad der Präzision deutlich höher war. Speziell durch diese Untersuchung kann der manchmal genannte Kritikpunkt des hohen Zeitaufwandes in der Anwendung des AMDP-Systems als widerlegt angesehen werden.

Ratingverfahren lassen sich jedoch nicht beliebig in ihrer Reliabilität erhöhen, da mindestens *vier Einflussfaktoren* relevant sind: Messinstrument, Rater, Patient und die Interaktion Rater × Patient. Insbesondere die Interaktion lässt sich nicht so normieren, dass für Beurteiler und Patient kein oder wenig Spielraum offen bleibt. Dies gilt auch für das strukturierte Interview, bei dem das Patientenverhalten durch den Interviewer dennoch beeinflusst wird (z. B. wie werden Fragen vorgetragen, wie reagiert er auf Nachfragen). Es lässt sich somit keine Verbesserung der formalen Genauigkeit erreichen, ohne auf die Vorteile einer Interaktion zu verzichten. Beim AMDP-System lassen sich jedoch verschiedene Bestimmungsstücke des Ratings verbessern, ohne den ursprünglich gesetzten Rahmen zu verlassen (Erfassung der Psychopathologie in einem Gespräch). Dies kann z. B. durch ein Interview erfolgen, was die Reaktionsebene betrifft.

Seit der ersten Veröffentlichung hat das System eine weite Verbreitung gefunden sowohl im deutschsprachigen Raum als auch auf internationaler Ebene (vgl. im Überblick Bobon, 1983; Stieglitz et al., 2017). Das System hat dabei nicht nur im Bereich der *Forschung* Akzeptanz gefunden, sondern insbesondere auch im Bereich der *klinischen Anwendung* (Haug & Stieglitz, 1997). In den letzten Jahren ist daher auch eine deutliche Zunahme der Nutzung des AMDP-Systems in diesem Bereich festzustellen. So wird z. B. das System in verschiedenen Vorschlägen zur psychiatrischen Untersuchung als wichtiges Hilfsmittel der Befunderhebung genannt (z. B. Haug, 2017), in Lehrbüchern zur Darstellung der Psychopathologie verwendet (z. B. Möller et al., 2015; Freyberger et al., 2012; Berger, 2019) sowie in Übersichten zu psychiatrischen Erhebungsinstrumenten aufgeführt (z. B. AMDP & CIPS, 1990; CIPS, 1996). Auch im Kontext der Psychotherapie wird das System zur psychopathologischen Befunderhebung zunehmend empfohlen (z. B. Born, 2014; Knappe & Härtling, 2017).

Diese weite Akzeptanz liegt u. a. in der Orientierung des Systems an der klassischen Psychopathologie begründet (vgl. Scharfetter, 1983) und hängt mit der „AMDP-Philosophie“ zusammen, die gesamte Breite der Psychopathologie und nicht nur einzelne Teilaspekte zu erfassen.

Die weite Akzeptanz ergibt sich außerdem sicherlich noch aus den mit einem derartigen Dokumentationssystem verbundenen *Möglichkeiten und Vorteilen* (vgl. u.a. Fähndrich, 1979) wie
- Ausbildung in Psychopathologie,
- Vereinheitlichung des psychopathologischen Verständnisses der „Psychiater unterschiedlicher Schulen“,
- Hilfe bei der Diagnosenfindung und -stützung,
- vergleichbare Dokumentation des Krankheits- und Therapieverlaufs,
- Bereitstellung eines Datenpools (Datenbank) für spezielle wissenschaftliche Fragestellungen und
- Möglichkeit zur multizentrischen Forschung.

Das AMDP-System hat in den letzten Jahren durch Entwicklungen im Bereich der *Aus-, Fort- und Weiterbildung* sowie im Zusammenhang mit Überlegungen zur *Qualitätssicherung* weiter an Bedeutung gewonnen (vgl. auch Stieglitz et al., 2023). So finden sich z.B. in der (Muster-)Weiterbildungsordnung 2018 (in der Fassung vom 28.06.2021) der Bundesärztekammer unter den spezifischen Inhalten der Facharzt-Weiterbildung Psychiatrie und Psychotherapie unter der Rubrik „Psychiatrische Krankheitslehre und Diagnostik“ die Inhaltsbereiche allgemeine und spezielle Psychopathologie sowie psychodiagnostische Testverfahren und dort der Hinweis auf den Erwerb von Handlungskompetenzen u.a. durch Kenntnisse in Fremdbeurteilungsverfahren. In der Weiterbildungsordnung der Ärztekammer Berlin von 2004 findet sich unter der Überschrift „Strukturierte Weiterbildung im allgemeinen Psychiatrie-Teil“ u.a. der Hinweis auf ein 10 Stunden Seminar über standardisierte Befunderhebung unter Anwendung von Fremd- und Selbstbeurteilungsverfahren und Teilnahme an einem Fremdrater-Seminar. Zum Erwerb all dieser Kompetenzen bietet sich die Nutzung des AMDP-Systems an. Dies gilt auch für den Bereich der Psychotherapie. So findet sich im „Leitfaden zum Erstellen des Berichts zum Erst-, Umwandlungs- oder Fortführungsantrag“

(PTV3, Freigabe 20.2.2020) ein Gliederungspunkt „Symptomatik und psychischer Befund“.

Auch im Kontext der zunehmenden Bedeutung der *Qualitätssicherung* für die klinische Praxis zeigen sich Möglichkeiten des AMDP-Systems. Mit der Forderung der Dokumentation der Prozess- und Ergebnisqualität gilt es zu zeigen, dass adäquate diagnostische Maßnahmen zur Anwendung gekommen sind (Prozessqualität) und dass durch die Behandlung klinisch bedeutsame Veränderungen erreicht werden konnten (Ergebnisqualität). Unter beiden Aspekten kann dem AMDP-System eine wichtige Funktion zukommen, was sich auch darin zeigt, dass das System als fakultatives Instrument im Rahmen der Basisdokumentation der Deutschen Gesellschaft für Psychiatrie, Psychotherapie und Nervenheilkunde (DGPPN) empfohlen wird (Cording et al., 1995). Über konkrete Erfahrungen in der Anwendung in diesem Bereich berichten Schaub et al. (1997).

Auf die unterschiedlichen *diagnostischen Anwendungsmöglichkeiten* des AMDP-Systems wurde von Stieglitz et al. (1997; vgl. auch Stieglitz et al., 2023a) hingewiesen. Dies betrifft die Möglichkeit der Diagnostik auf Symptom- und Syndromebene als zentrale Bereiche. Letztere spielt vor allem im Rahmen von Studien zur Quantifizierung des Schweregrades im Querschnitt wie im Verlauf eine wichtige Rolle (z. B. Stärke des depressiven oder manischen Syndroms; vgl. auch Stieglitz et al., 2023b). Im Anhang sind daher auch die für das AMDP-System relevanten Syndrome und ihre Berechnung enthalten (vgl. S. 129). Weiterhin konnte auch gezeigt werden, dass mithilfe des AMDP-Systems für einige der in den aktuellen Klassifikationssystemen aufgeführten Störungsgruppen zusätzlich eine klassifikatorische Diagnostik möglich ist (z. B. depressive Störung, manische Störung, schizophrene Störung, dementielle Störung; vgl. Haug & Stieglitz, 1997 sowie Stieglitz et al., 2023c).

Die Synopsis der bisher vorliegenden Arbeiten zum System zeigt, dass das AMDP-System im Hinblick auf eine Vielzahl psychometrisch-methodischer wie inhaltlich-pragmatischer Kriterien in der Anwendung als überprüft und als hinreichend abgesichert angesehen werden kann (vgl. Baumann & Stieglitz, 1983, 1989, 1997; Rösler et al., 2012; Stieglitz et al., 2017). Dies betrifft vor allem die unterschiedlichen Validitätsbelege des Systems, d.h. Hinweise auf vielfältige Anwendungsbereiche (vgl. auch Stieglitz et al., 2023a).

2 Entwicklung des Interviewleitfadens

2.1 Hintergrund

Nach Westhoff und Kluck (2014) existieren in der Psychologie seit vielen Jahren Untersuchungen, die belegen, dass ungeplante oder schlecht vorbereitete Gespräche fehlerhafte und verzerrte Informationen zur Folge haben, auch wenn sie von Experten durchgeführt werden. Leitfäden zur Gesprächsführung wurden anfänglich oft als überflüssig angesehen. Erst die Erfahrung eigener „Hilflosigkeit“ führt zu einer Einstellungsänderung. Stärker noch stellt sich die Situation in der Psychiatrie dar.

Klinische Erfahrungen und empirische Studien haben wiederholt zeigen können, dass ein *freies Interview* oft den Merkmalsbestand des AMDP-Systems mit seinen 100 psychischen und 40 somatischen Symptomen nur unzureichend erfasst. Dabei wurde immer wieder beobachtet, dass Symptome nicht oder nur unzureichend exploriert wurden, so dass eine zuverlässige Entscheidung über das Vorliegen oder Nicht-Vorliegen eines Symptoms oft kaum möglich war. Zudem wird auch oft vergessen, bestimmte Symptome zu explorieren. Aufgrund dieser Erfahrungen und der in den vorausgehenden Abschnitten besprochenen möglichen Fehlerquellen im diagnostischen Prozess wurde für das AMDP-System die Form eines *halbstrukturierten Interviews* (nachfolgend auch nur Interview genannt) gewählt.

Unter einem halbstrukturierten Interview wird eine Vorgehensweise verstanden, bei der Inhalte, Umfang und Art der Fragen festgelegt werden. Es erlaubt dem Untersucher jedoch eine situationsangepasste Exploration:

- Veränderung des Wortlauts einzelner Fragen,
- Erläuterung von Fragen,
- Auslassen von Fragen, wenn diese bereits beantwortet worden sind,
- Zusatz- und Ergänzungsfragen,
- gezieltes Nachfragen sowie

- Veränderung der Reihenfolge der Fragen (Anpassung an den Gesprächsverlauf).

Der Begriff „halbstrukturiert" wurde daher gewählt, um eine Abgrenzung zu den im Bereich der klassifikatorischen Diagnostik eingesetzten Verfahren zu erreichen, deren Formalisierungsgrad größer ist (vgl. auch Stieglitz & Freyberger, 2019 sowie Kapitel 1.4).

Für das AMDP-System wurde ein halbstrukturiertes Interview zudem aus weiteren Gründen gewählt:
- Das Interview soll vor allem auch in der klinischen Routine anwendbar sein.
- Das Interview soll dem Untersucher und dem Patienten Freiraum und Flexibilität im Gespräch lassen.
- Es soll vermieden werden, eine sterile und künstliche Befragungssituation zu schaffen.

Mit dem vorliegenden Interview soll somit die Möglichkeit einer verbesserten Informationserhebung erreicht werden, verbunden mit den Vorteilen eines natürlich ablaufenden Gesprächs.

2.2 Vorüberlegungen

Der Konstruktion des Interviews wurden die allgemeinen Überlegungen von Hron (1982) und Bortz (1984) zur Entwicklung von Interviews zugrunde gelegt. Bei der Formulierung der Fragen wurde versucht, sich möglichst eng an die Definitionen der Begriffe im Manual (AMDP, 2023) zu halten. Bezüglich der Art der Fragen werden in der Literatur unterschiedliche Typen genannt (vgl. u.a. Bellebaum, 1976; Hron, 1982). Im vorliegenden Interview wurden in der Regel sogenannte *offene Fragen* (vgl. Hron, 1982; Othmer & Othmer, 1994) gewählt, d.h. der Patient unterliegt keinerlei Beschränkung hinsichtlich seiner Antwort. Inhalt, Form, Spezifität und Ausführlichkeit der Antwort liegen ganz in seinem Ermessen. In seltenen Fällen wurden *geschlossene Fragen* (z.B. Alternativfragen) festgelegt. Bei Zustimmung muss dann jedoch weiter exploriert werden.

Außerdem wurde versucht, entsprechend den Vorschlägen von Hron (1982) sowie Schmidt und Kessler (1976) vorzugehen, d.h.

- einfache Formulierungen zu verwenden,
- eindeutige Fragen zu stellen,
- den Befragten mit dem Inhalt der Frage nicht zu überfordern,
- konkrete statt allgemeine Fragen zu stellen,
- neutrale statt suggestive Fragen zu stellen,
- die Alltagssprache zu verwenden,
- keine doppelten Verneinungen zu verwenden,
- keine Fachausdrücke oder Fremdworte zu benutzen und
- die Fragen anschaulich zu formulieren.

In Tabelle 4 findet sich eine Zusammenstellung der im Interview verwendeten Fragentypen. Einen besonderen Stellenwert in diesem Kontext nimmt die sog. *Suggestivfrage* ein, die oft kritisiert bzw. als ungünstig bewertet wird (vgl. auch Kapitel 3.3.2.2). Unter Suggestion versteht man allgemein eine Art von Beeinflussung, die Evozierung einer kognitiven Verzerrung. Bei einer Suggestivfrage wird nach Volbert (2003) eine Person veranlasst, einer bestimmten Richtung zu folgen, obwohl prinzipiell andere Reaktionsmöglichkeiten bestehen; man lässt somit der Person keine andere Wahlmöglichkeit. Besonders bei schwachen oder gar nicht vorhandenen Gedächtnispräsentationen wird dann ein erfragtes Phänomen (eher) übernommen (Beispiele: „Und dann haben Sie doch sicherlich etwas an der Wand gesehen"; „Wenn Sie Stimmen gehört haben, kennen Sie doch sicherlich auch das Hören von Geräuschen?", „Sie kennen doch sicherlich das Gefühl, dass die Stimmung auf und ab geht?"). Suggestivfragen sind zwar, wenn möglich, zu vermeiden bzw. auf ein Minimum zu reduzieren. Gerade bei der Erfassung psychopathologischer Phänomene lässt es sich jedoch oft nicht vermeiden, derartige Fragen zu stellen (z.B. beim Erfragen von Stimmenhören; z.B. „Manchmal berichten Patienten davon, Dinge zu hören oder zu sehen, die eigentlich nicht da sind. Kennen Sie so etwas auch?"). Wichtig ist dann aber, sich bei Zustimmung durch den Patienten die Beschwerden genauer schildern zu lassen und sich auch Beispiele geben zu lassen (z.B. „Können Sie mir das etwas genauer beschreiben?", „Haben Sie ein Beispiel dafür?").

Tabelle 4: Fragentypen im AMDP-Interviewleitfaden

Fragentyp	Erläuterung und Beispiel
Einleitungsfrage	Gab es in den letzten Tagen irgendwelche Beschwerden, die Sie bei sich beobachtet haben?
Überleitende Frage	Sie haben vorhin davon gesprochen, dass Sie sich nichts mehr zutrauen. Hat Ihr Leistungsvermögen in letzter Zeit nachgelassen?
Präzisierungsfrage, Erläuterungsfrage	Können Sie bitte noch etwas genauer beschreiben, was Sie unter … verstehen?
Kontrollfrage	Sie haben vorhin berichtet, dass … Können Sie sich noch erinnern, was Sie mir genau gesagt haben?
Offene Frage	Habe ich irgendetwas vergessen, Sie zu fragen?
Verständnisfrage	Das habe ich nicht ganz verstanden. Können Sie mir das genauer erklären?
Bestimmungsfrage	Welches Datum haben wir heute?
Ja-Nein-Frage	Hat sich in letzter Zeit Ihre Wahrnehmung irgendwie verändert?

2.3 Entwicklungsschritte

Das Interview wurde ursprünglich (Fähndrich & Stieglitz, 1989) konzipiert aufgrund

- der Beobachtung zahlreicher Interviews zur Erhebung des Psychopathologischen und Somatischen Befundes mit dem AMDP-System,
- der Diskussionen in einer Vielzahl von Trainingsseminaren zum AMDP-System und
- nicht zuletzt jahrelangen eigenen praktischen Erfahrungen mit dem AMDP-System.

Die Fragen wurden entsprechend den AMDP-Merkmalsbereichen (vgl. Kapitel 4) gruppiert. Jeder Bereich wurde durch eine Einstiegsfrage eingeführt, in der zunächst der zu erfragende Sachverhalt präzisiert wird. Die Fragen zu den neuen Zusatzmerkmalen wurden in einem eigenen Abschnitt zusammengefasst (vgl. Kapitel 4.2.14).

Bei der Strukturierung der Abfolge der Merkmalsbereiche und Einzelfragen wurde auf ein lineares Vorgehen nach einem festen Ablaufschema zu Gunsten eines *verzweigten Vorgehens* verzichtet (vgl. zur Definition Schmidt & Kessler, 1976), d.h. mit einer möglichst großen Ähnlichkeit zu einer natürlichen Gesprächssituation. Jeder Merkmalsbereich kann als möglicher Einstieg in das Interview dienen. Die weitere Befragung ist frei und ergibt sich aus dem weiteren Gesprächsverlauf.

2.4 Aufbau und Struktur

Das Interview gliedert sich in einen freien Teil zu Beginn des Gesprächs, den halbstrukturierten Interviewteil sowie einen freien Schlussteil (vgl. auch Tabelle 5).

Tabelle 5: Aufbau des Interviewleitfadens

Teile	Ziel
Beginn des Gesprächs	Information über Ziel des Gesprächs, Aufbau einer Beziehung zum Patienten, freie und spontane Schilderung der Symptomatik durch den Patienten
Halbstrukturierter Interviewteil	Systematische Erfassung der Symptome der AMDP-Merkmalsbereiche
Schlussteil	Evtl. Synopsis der Symptomatik, Möglichkeit des Patienten, weitere, für ihn wichtige Beschwerden oder Probleme anzusprechen

Der *freie Teil zu Beginn des Gesprächs* dient der Kontaktaufnahme mit dem Patienten („warming up"), der Information des Patienten über das Ziel des Gesprächs sowie dem Einstieg in seine momentane Problematik/Symptomatik. Es soll zudem beim Patienten das Interesse am Gespräch geweckt und eine eventuelle Hemmung abgebaut werden. Bei Aufzeichnung des Gesprächs (z. B. Video) ist eine Erläuterung über Sinn und Zweck der Aufnahme notwendig sowie das schriftliche Einverständnis des Patienten einzuholen. Wenn mitgeschrieben werden soll, sollte dies dem Patienten kurz erklärt werden.

Dem Patienten sollte zunächst Gelegenheit gegeben werden, völlig frei über seine Beschwerden und Beeinträchtigungen zu berichten, d. h. er sollte selbst entscheiden können, in welcher Weise er seine Probleme vorträgt. Der Interviewer bekundet in dieser Phase sein Interesse (z. B. durch zustimmendes Kopfnicken), ohne jedoch detailliert nachzufragen oder zu unterbrechen. Später dann werden die einzelnen Merkmalsbereiche unter Bezugnahme auf die bereits berichteten Beschwerden gezielt exploriert.

Es ist darauf zu achten, was der Patient spontan berichtet, was ihn bewegt, was nicht. Auf Seiten des Untersuchers geht es darum, dem Patienten zu vermitteln, seine Beschwerden ernst zu nehmen und verstehen zu wollen.

Bei Patienten, die sich weder krank fühlen, noch motiviert an einem Gespräch teilnehmen, sollte dieser freie Teil, der in der Regel meist nicht länger als fünf Minuten dauert, deutlich verlängert werden, um in eine Beziehung mit dem Patienten zu gelangen, die es ihm ermöglicht, auch gezielte Fragen zu beantworten. Wie man mit misstrauischen, ablehnenden Patienten in ein exploratives Gespräch kommt, kann man nicht „aus einem Buch" erlernen. Dies bedarf eines gezielten Trainings am Beispiel eines erfahrenen Vorbildes, durch Rollenspiele oder mithilfe von Videoaufnahmen im Rahmen der psychiatrischen Ausbildung (vgl. auch Kapitel 3.3.3 sowie Stieglitz et al., 2023a).

Hinsichtlich des *Beginns des eigentlichen Interviews* (Interviewteil) lassen sich zwei Fälle unterscheiden:

1. *Erstinterview.* Bei der ersten Kontaktaufnahme zum Patienten empfiehlt es sich, die Anfangsphase des Interviews etwas länger zu halten. Zunächst sollte der Sinn und Zweck des Interviews erläutert werden (z. B. „Ich möchte Ihnen jetzt einige Fragen zu Ihrem Befinden und Ihren Problemen stellen, um Sie besser verstehen zu können").
   Die Exploration kann dann mit folgenden Fragen eröffnet werden:
   - „Wie lange sind Sie schon bei uns in der Klinik?"
   - „Was für einen Grund gab es für die Aufnahme?"
   - „Warum sind Sie zu uns (zu mir) gekommen?"
2. *Wiederholungsinterview.* Auch hier bedarf es einer kurzen Erläuterung über den Sinn und eines Hinweises darauf, warum das Gespräch nochmals durchgeführt wird und eventuell gleiche Fragen noch einmal gestellt werden (z. B. „Einige Fragen werden Ihnen vielleicht bekannt vorkommen, aber ich möchte sehen, ob sich etwas verändert hat.").
   Die gezielte Exploration kann mit folgenden Fragen eingeleitet werden:
   - „Wie ist es Ihnen in den letzten Tagen gegangen?"
   - „Welche Beschwerden und Beeinträchtigungen hatten Sie in den letzten ... Tagen?"
   - „Hat sich irgendetwas verändert seit unserem letzten Gespräch?"

Es ist insbesondere immer wieder darauf zu achten, dass sich der Patient darüber im Klaren ist, auf welchen *zeitlichen Bezugsrahmen* sich die Symptom- und Beschwerdenerfassung erstrecken soll (vgl. auch Kapitel 3.3.1). Unter Umständen ist dies mehrfach während des Interviews zu wiederholen, wenn der Eindruck entsteht, dass der Patient nicht mehr weiß, ob er z. B. die letzten sieben Tage als Bezugsrahmen nehmen soll oder ob er überhaupt über Beschwerden berichten soll, die er jemals gehabt hat (z. B. „Haben Sie ... auch in den letzten 7 Tagen gehabt?"). Es sei an dieser Stelle nochmals ausdrücklich betont, dass es sich beim aktuellen psychopathologischen Befund um den Querschnittsbefund einer zuvor definierten Zeitperiode handelt, d. h. nur die Symptome zu erfragen und zu dokumentieren, die in diesem Zeitrahmen vorhanden waren. Dies muss dem Patienten daher auch immer wieder im Gesprächsverlauf deutlich gemacht werden (z. B. „War das Stimmenhören auch in den letzten 7 Tagen vorhanden?")!

Die spontan berichteten Beschwerden im *freien Teil* dienen dann als Ausgangspunkt und Einstieg für die gezielte Exploration (Interviewteil). Im nachfolgenden *Interview* ist jeder Merkmalsbereich in drei Teile gegliedert: Allgemeine Vorbemerkungen, Einstiegsfragen und spezielle Fragen zu den Symptomen.

1. Allgemeine Vorbemerkungen

In den jeweiligen Allgemeinen Vorbemerkungen finden sich besonders zu beachtende Punkte der einzelnen Merkmalsbereiche. Dies betrifft z. B. Hinweise auf eventuell schwierige Punkte in der Befragung oder welche Informationsquellen besonders zu berücksichtigen sind.

2. Einstiegsfragen

Für jeden Merkmalsbereich werden spezielle Fragen formuliert, die den Einstieg in diesen erleichtern sollen. Sie sind als Hilfe und Anregung gedacht, sind jedoch nicht verbindlich.

Bei den Einstiegsfragen handelt es sich meist um offene Fragen, um den Patienten zu ermutigen, seine Erfahrungen und sein Erleben in eigenen Worten zu beschreiben.

Die Einstiegsfrage kann bei einigen Merkmalsbereichen jedoch auch die Funktion einer sogenannten *„Filterfrage"* (Bortz, 1984) haben, deren Beantwortung davon abhängt, ob spezielle Fragen weiter gestellt werden müssen oder zu einem anderen Bereich übergegangen werden kann. Sie hat somit auch die Funktion einer sog. *Sprungregel,* wie sie oft in strukturierten und standardisierten Interviews vorkommen. Von daher sind die Antworten des Patienten darauf sorgfältig abzuwägen, um nicht bestimmte Phänome zu übersehen. In Zweifelsfällen sollten daher zusätzlich die speziellen Fragen gestellt werden, auch wenn sich zunächst keine expliziten Hinweise auf Beeinträchtigungen in diesem Bereich ergeben.

3. Spezielle Fragen zu den Symptomen

Aus Tabelle 6 ist exemplarisch die Struktur des Aufbaus für die einzelnen Symptome zu erkennen. In der *linken Spalte* sind die AMDP-Symptome mit den Nummern aus dem Manual aufgeführt. In der *mittleren Spalte* findet sich die Charakterisierung des Symptoms bezogen auf die Informationsquellen (S, F oder

Tabelle 6: Auszug aus dem Interviewleitfaden

Symptom	SF	Beispielfrage und/oder Anmerkungen
15. gehemmt	S	Häufig auch im Gespräch zu bemerken, wenn sich der Patient bemüht, die Fragen prompt zu beantworten. • „Kennen Sie das Gefühl, dass das Denken schwerer als gewohnt geht? Brauchen Sie dazu mehr Kraft?“ • „Manchmal hat man das Gefühl, das Denken geht wie gegen einen Widerstand. Kennen Sie das auch?“ • „Kostet es Sie viel Kraft, einen Gedanken zu Ende zu bringen?“ • „Gehen Ihre Gedanken langsam, schwer?“ • „Kommt Ihnen Ihr Denken gebremst vor, so, als ob da ein Widerstand ist, gegen den Sie andenken müssen?“
16. verlangsamt	F	(aus dem Gespräch zu erschließen)
17. umständlich	F	(aus dem Gespräch zu erschließen)
18. eingeengt	F	(aus dem Gespräch zu erschließen) Bei Hinweisen bzw. Verdacht auf eingeengtes Denken muss gezielt versucht werden, andere Themenbereiche anzubieten, um einzuschätzen, ob der Patient tatsächlich erneut von sich aus auf das für ihn zentrale Thema zurückkommt. Als neutrale oder eher positiv besetzte Themen bieten sich an: Interessen/Hobbys, Urlaub, Kinder/Enkel, Freizeitaktivitäten.

SF). In der *rechten Spalte* befinden sich Hinweise oder Beispielfragen für die einzelnen Symptome.

Diese haben sich in der Praxis als sinnvoll erwiesen, können jedoch modifiziert oder durch andere ersetzt oder erweitert werden. Für einige Symptome finden sich mehrere Beispielfragen, von denen jedoch nur eine gestellt zu werden braucht. Symptome, zu denen keine Beispielfragen formuliert wurden, basieren auf reiner Fremdbeurteilung (sogenannte F-Merkmale; Verhaltensbeobachtung).

Das AMDP-System gehört in die Gruppe der *Fremdbeurteilungsverfahren* (vgl. hierzu auch Stieglitz et al., 2001). Die Beurteilung von Symptomen basiert auf dem beobachtbaren Verhalten und/oder dem berichteten Erleben des Patienten und stützt sich somit auf eigene Beobachtungen des Untersuchers und/oder Angaben des Patienten (AMDP, 2023). Prinzipiell können die in Abbildung 1 aufgeführten Informationen zur Bewertung der einzelnen AMDP-Symptome herangezogen werden.

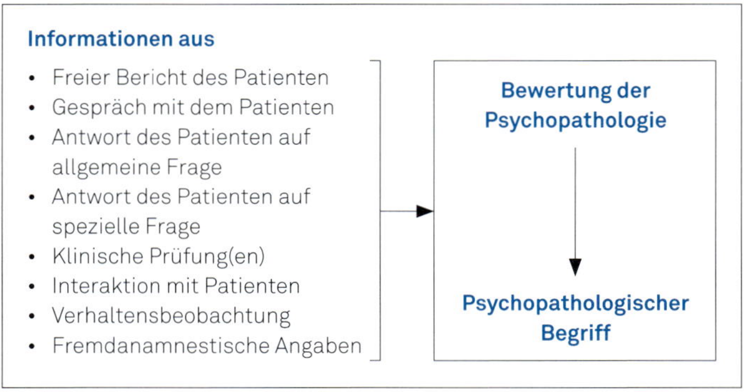

Abbildung 1: Unterschiedliche Informationen als Basis des Beurteilungsprozesses im AMDP-System

Von Woggon (1979) wurde erstmals versucht, die einzelnen Symptome danach zu differenzieren, ob es sich bei ihnen um sogenannte *Selbst- oder Fremdbeurteilungssymptome* handelt, oder aber die Beurteilung auf einer gemischten Beurteilung basiert (Selbst- und/oder Fremdbeurteilung). Diese Überlegungen wurden in der Folgezeit im Rahmen der Weiterentwicklung des AMDP-Systems intensiv diskutiert und erstmals explizit in die 5. Auflage des Manuals aufgenommen (AMDP, 1995). In der praktischen Anwendung zeigte sich jedoch, dass die gewählte Differenzierung sich nur schwer durchhalten ließ; und ab der 8. Auflage wurde daher eine Vereinfachung vorgenommen (AMDP, 2007). Dabei wurde von folgenden Überlegungen ausgegangen: Unterschieden wird nur noch danach, aufgrund welcher *Informationsgrundlage* die Bewertung eines einzelnen Symptoms durch den Untersucher zu erfolgen hat. Drei Möglichkeiten sind denkbar (vgl. Kasten).

Möglichkeiten der Bewertung

- *S:* nur explizite Selbstaussagen des Patienten zu einem bestimmten Phänomen ermöglichen dessen Bewertung (z. B. gehemmtes Denken),
- *F:* nur durch Fremdbeobachtungen durch Dritte (meist Interviewer, aber auch z. B. Pflegepersonal, Angehörige) lässt sich ein Phänomen beurteilen, weil es dem Patienten selbst als „Störung“ gar nicht zugänglich ist (z. B. Neologismen),
- *SF:* Selbstaussagen *und/oder* Fremdbeobachtungen durch Dritte können als Beurteilungsgrundlage dienen (z. B. antriebsarm).

In Tabelle 7 findet sich eine Übersicht zur Verteilung der einzelnen Symptome in den Merkmalsbereichen hinsichtlich dieser Unterscheidungen. Bezüglich der sog. F-Symptome ist auf Folgendes hinzuweisen: Diese lassen sich einerseits aus allgemeinen Äußerungen und/oder dem Verhalten erschließen bzw. sind nach Durchführung spezieller Prüfungen zu bewerten (vgl. Abbildung 2). In Tabelle 8 findet sich eine Zusammenstellung der mit F gekennzeichneten Symptome.

Die Unterscheidung der Symptome nach S, F und SF soll dem Interviewer und Rater somit Hilfestellung geben, die Aufmerksamkeit auf die jeweils relevanten Aspekte zu lenken, die den einzelnen Beurteilungen zugrunde liegen. Aufgrund der Einschätzung der Symptome bezüglich dieser drei Kategorien durch erfahrene Kliniker wurden die Symptome wie folgt einer der drei Kategorien zugeordnet: 50 % S, 21 % F und 29 % SF. Durch diese differenzierte Beschreibung der Beurteilungsgrundlage kann eine verlässlichere Beurteilung der Symptome erreicht werden. Dieser Gedanke wurde daher auch bei der Konzipierung des Interviewleitfadens explizit berücksichtigt. An dem hohen Anteil von S- bzw. SF-Symptomen wird weiterhin deut-

Tabelle 7: Klassifizierung der AMDP-Symptome nach der Beurteilungsgrundlage (AMDP, 2023)

Merkmalsbereich	Anzahl Symptome	S-Symptome	F-Symptome	SF-Symptome
Bewusstseinsstörungen	4	1	2	1
Orientierungsstörungen	4	4	0	0
Aufmerksamkeits- und Gedächtnisstörungen	6	1	1	4
Formale Denkstörungen	12	3	8	1
Befürchtungen und Zwänge	6	5	0	1
Wahn	14	13	0	1
Sinnestäuschungen	6	6	0	0
Ich-Störungen	6	6	0	0
Störungen der Affektivität	21	8	5	8
Antriebs- und psychomotorische Störungen	9	1	5	3
Circadiane Besonderheiten	3	0	0	3
Andere Störungen	9	2	0	7
Summe	100	50	21	29

Anmerkung: S: Informationsquelle sind Aussagen und Angaben des Patienten zur Symptomatik, Thema; F: Informationsquelle sind Beobachtungen Dritter (meist Interviewer, aber auch z. B. Pflegepersonal, Angehörige); SF: S und/oder F

lich, wie hoch der Stellenwert eines gezielten Interviews, der gezielten Exploration ist, um diese Phänomene überhaupt beurteilen zu können.

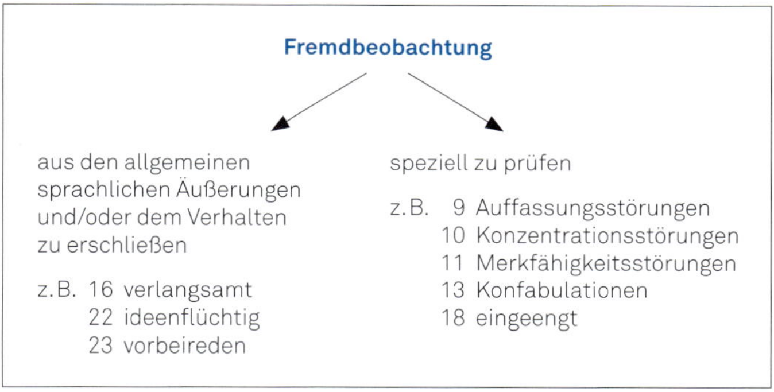

Abbildung 2: AMDP-Fremdbeobachtungsmerkmale

Tabelle 8: F-Symptome des AMDP-Systems: ausschließlich aus dem Gespräch mit dem Patienten zu erschließen

Merkmalsbereich	Symptome
Bewusstseinsstörungen	1 Bewusstseinsverminderung 2 Bewusstseinstrübung
Orientierungsstörungen	Keine
Aufmerksamkeits- und Gedächtnisstörungen	11 Konfabulationen
Formale Denkstörungen	16 verlangsamt 17 umständlich 18 eingeengt 19 perseverierend 22 ideenflüchtig 23 vorbeireden 25 inkohärent/zerfahren 26 Neologismen

Tabelle 8: Fortsetzung

Merkmalsbereich	Symptome
Befürchtungen und Zwänge	Keine
Wahn	Keine
Sinnestäuschungen	Keine
Ich-Störungen	Keine
Störungen der Affektivität	59 ratlos 61 affektarm 70 klagsam/jammerig 76 Parathymie 79 affektstarr
Antriebs- und psychomotorische Störungen	84 Parakinesen 85 manieriert/bizarr 86 theatralisch 87 mutistisch 88 logorrhoisch
Circadiane Besonderheiten	Keine
Andere Störungen	Keine

Das Interview wird mit einem *freien Teil* beendet, in dem der Patient ermutigt wird, für ihn noch wichtige Dinge, die bisher noch nicht besprochen worden sind, zu berichten. Dies hat sich aus verschiedenen Gründen bewährt:

- Die Patienten berichten u. U. psychopathologisch relevante Phänomene, die im Gespräch noch nicht angesprochen wurden (mögliche Gründe: z. B. vergessen zu fragen; bestimmte bereits gestellte Frage wurde vom Patienten anders verstanden). Dies ist insofern wichtig, da die klassische Psychopathologie natürlich mehr als die 100 AMDP-Symptome und 11 Zusatzsymptome umfasst. Zum Vergleich sind z. B. allein in der ICD-10 über 400 meist psychopathologische Kriterien aufgeführt. Da auch diese wichtig sind für den psychopathologischen Befund, sollte also dem Patienten die Gelegenheit gegeben werden, darüber zu berichten.

- Dies kann u. U. daraus resultieren, dass der Patient erst im Laufe des Gesprächs Vertrauen zum Untersucher aufgebaut hat und erst jetzt bereit ist, über für ihn schwierig zu berichtende Dinge, die ihm vielleicht unangenehm sind, zu sprechen (z. B. Stimmenhören, Suizidalität).
- Der Patient bekommt den Eindruck, dass er nicht nur „ausgefragt" wird, sondern auch selbst aktiv etwas beitragen und für ihn wichtige Dinge ansprechen kann.

Der Interviewleitfaden zentriert sich im Wesentlichen um die 100 Symptome des Psychischen und Teile des Somatischen Befundes, inklusiv der Zusatzsymptome aus beiden. Das AMDP-System ermöglicht jedoch für spezielle wissenschaftliche Fragestellungen und bei speziell klinischen Interessen die zusätzliche Ergänzung relevanter Symptome in den Rubriken R1 bis R14 (R: Reserve-Merkmale) des Psychischen bzw. R1 bis R7 des Somatischen Befundes (vgl. AMDP, 2023). Die gewählten Symptome in den R-Rubriken können entsprechend den individuellen Interessen selbst festgelegt werden. Hierzu müssen dann vom Untersucher Fragen jedoch selbst formuliert werden. Die Formulierung einzelner Fragen kann hierbei durch die Beispiele aus dem vorliegenden Interview erleichtert werden (vgl. auch allgemeine Hinweise in Kapitel 2.2). Zusätzlich wurden jedoch für eine Reihe von Zusatzmerkmalen Fragen formuliert und im Kapitel 4.2.14 aufgeführt.

3 Anwendung

3.1 Indikationsbereich

Das Interview wurde für den Merkmalsbestand des Psychischen und für Teile des Somatischen Befundes entwickelt, dessen Symptome i. d. R. einfach zu explorieren sind. Für beide Bereiche wurden zudem Fragen zu den Zusatzsymptomen vorgeschlagen. Die Erhebung der Informationen für die Anamnese sollte nach den entsprechenden Allgemeinen Richtlinien psychiatrischer Anamnesegespräche erfolgen (vgl. hierzu Freyberger et al., 2012; Stieglitz & Freyberger, 2019).

Das Interview hat verschiedene *Einsatzbereiche:*
- Klinische Routine,
- Routine-Dokumentation,
- Forschung sowie
- Ausbildung in Psychopathologie.

In der *Klinischen Routine* soll das Interview helfen, eine umfassende und vollständige Erfassung des psychopathologischen und somatischen Befundes zu ermöglichen, unabhängig davon, ob im Anschluss an das Interview die AMDP-Dokumentationsbelege ausgefüllt werden oder nicht.

In der *Routine-Dokumentation* (wie auch in Forschungsprojekten) soll zudem eine Erhöhung der Reliabilität der erhobenen Daten angestrebt werden. Aber auch die Reduzierung der Markierungen „keine Aussage" ist Ziel des Interviews, indem für alle Symptome, die über die reine Fremdbeobachtung hinausgehen, Fragen vorgegeben werden.

In *Forschungsprojekten* hat sich das AMDP-System in den 1970er und 1980er Jahren vor allem im Bereich der psychopharmakologischen Forschung bewährt (vgl. z. B. Fähndrich et al., 1983; Baumann & Stieglitz, 1983, 1989; Rösler et al., 2012; Stieglitz et al., 2017). Bei depressiven Erkrankungen lassen sich zudem durch geringfügige Ergänzungen von Fragen diejenigen Information erheben, die zum Ausfüllen z. B. der Hamilton-Depressions-Skala (vgl. Hamilton, 1967; CIPS, 1996, 2005) notwendig sind. In Forschungsprojekten (z. B. Therapie- oder Verlaufsstudien) muss beim Somatischen Befund vor Interviewdurchführung entschieden werden, ob alle Symptome explizit erfragt werden sollen (vor allem dann, wenn die Syndrome bestimmt werden; vgl. Anhang A, S. 129).

Einen wesentlichen Stellenwert hat das AMDP-System wie das Interview auch in der *Ausbildung in Psychopathologie* (vgl. z. B. Berger & Stieglitz, 1997). Beide gemeinsam ermöglichen eine umfassende Erhebung psychopathologischer als auch somatischer Symptome. Durch das Manual wird erreicht, dass psychopathologische Phänomene richtig bezeichnet werden, mit dem Interviewleitfaden werden die zur Erfassung notwendigen Fragen zur Verfügung gestellt. Es soll besonders den Anfängern Hilfestellung und Anregungen geben, Fragen zu stellen bzw. zu formulieren. Anfängern in der klinischen Arbeit ermöglicht es zudem, sich gezielt auf den Patienten im Gespräch zu konzentrieren und nicht gleichzeitig auch noch nach richtigen Fragen zu suchen, um bestimmte Phänomene zu erfassen.

Obwohl nicht zur klassifikatorischen Diagnostik entwickelt, lassen sich im Hinblick auf einige Kategorien der ICD-10 wie auch der ICD-11 (Depressive Störung, Manische Störung, Schizophrene Störung, Organische Störung) die relevanten diagnostischen Kriterien mit dem System erfassen (vgl. hierzu auch Haug & Stieglitz, 1997). Da im deutschsprachigen Raum die ICD-10/-11 verpflichtend ist, seien kurz einige Anmerkungen hierzu gemacht.

Bei der Nutzung des AMDP-Systems für die *Diagnosestellung nach ICD-10* ist auf folgende Punkte zu achten (vgl. hierzu auch Dilling, 2002: ICD-10 Lexikon; Stieglitz et al., 2023a):

1. *Symptom-/Kriterienebene*
   - für einige Kriterien gibt es deckungsgleiche Begriffe im AMDP-System (Beispiel: Schizophreniekriterien Gedankeneingebung, -entzug, -ausbreitung),
   - für einige Kriterien gibt es zwar unterschiedliche Begriffe, jedoch mit gleicher Bedeutung (Beispiel: Schizophreniekriterium „danebenreden“ entspricht bei AMDP dem Symptom 23 „vorbeireden“),

  - für einige Kriterien bedarf es gewisser Übersetzungsarbeit (Beispiel depressive Episode: verminderter Antrieb entspricht bei AMDP 80 „antriebsarm“, gesteigerte Ermüdbarkeit entspricht bei AMDP dem Symptom 62 „Störung der Vitalgefühle“).
2. *Zeitkriterien*
   Da das AMDP-System die Festlegung flexibler Beurteilungszeiträume ermöglicht, ist die Umsetzung von Zeitkriterien problemlos möglich (Beispiele: schizophrene Episode 4 Wochen, depressive Episode 2 Wochen, manische Episode eine Woche). Das gewählte Zeitintervall ist dann im Kopf der Dokumentationsbögen einzutragen.

Diese Überlegungen lassen sich weitestgehend auf *ICD-11* übertragen, da hier bezüglich der Symptombezeichnungen kaum Veränderungen festzustellen sind.

Die *Dauer des Interviews* beträgt in Abhängigkeit von der Erfahrung des Interviewers, der Kooperationsbereitschaft des Patienten, vom Umfang der Psychopathologie und dem Schweregrad der Erkrankung ca. 40 bis 60 Minuten, was im Vergleich zu einem freien Interview (ca. 30 bis 40 Minuten) nur unwesentlich mehr Zeit bedarf, jedoch einen deutlich höheren Grad an Präzision und Vollständigkeit mit sich bringt. Als verlängernde Faktoren zu nennen sind eine ausgeprägte Psychopathologie oder z.B. logorrhoische, verlangsamte oder umständliche Patienten. Vor der Durchführung eines Interviews gilt dieses genau zu planen, wobei auf einige allgemeine Aspekte hinzuweisen ist (Kici & Westhoff, 2000). Die Gesprächszeit und -dauer sollte von vornherein genau festgelegt werden, ebenfalls der Ort, der möglichst frei von störenden Einflüssen sein sollte (z.B. keine Telefonate). Die eingeplanten Hilfsmittel und Materialien sollten rechtzeitig vorbereitet werden (z.B. Schreibmaterialien, Videoanlage).

3.2 Training

Die Anwendung des AMDP-Systems ist seit jeher eng an die Durchführung von Trainingsseminaren gebunden (vgl. z. B. Heimann & Rein, 1983), in welchem es immer auch um das Einüben von Strategien der Informationserhebung geht. Die Art und der Umfang eines Trainings des Interviews sind abhängig von dessen Anwendungsbereich. Soll das Interview in *Forschungsprojekten* eingesetzt werden, sind die Dokumentationsregeln zu beachten und einzuüben (AMDP, 2023), und es ist zudem ein umfassendes Training notwendig.

Die *Einarbeitung in das AMDP-System und das Interview* sollte in verschiedenen Schritten erfolgen:

1. Einarbeitung in das AMDP-Manual (AMDP, 2023) mit Schwergewicht auf folgenden Punkten: Abbildungsgrundlage, Entscheidungslogik und Skalierung,
2. Rating von mehreren Videos unter Supervision (vgl. AMDP, 2023),
3. Einarbeitung in den Interviewleitfaden,
4. Übung des Interviews im „Rollenspiel" sowie
5. Interviewdurchführung unter Supervision.

Ein derartiges Vorgehen scheint nicht nur in der Forschung von Bedeutung zu sein, sondern auch im klinischen Alltag, auch wenn dann bei der Nutzung die AMDP-Belege nicht eingesetzt werden. Auf ein Training ist nicht zu verzichten, da auch die allgemeine psychopathologische Erhebung zuverlässig erfolgen sollte, da sie Teil der Krankengeschichte ist, unter Umständen noch nach Jahren bei Nachbehandlungen ein hinreichend präzises wie zuverlässiges Bild der damaligen Situation abgeben soll und bei diagnostischen Überlegungen im Nachhinein wichtig sein können (z. B. erste Zeichen einer beginnenden Schizophrenie).

Für Interviewer, die bereits über AMDP-Erfahrungen verfügen, entfallen die Punkte (1) und (2). Anfänger können diese Erfahrungen durch die von AMDP angebotenen Trainingsseminare erwerben (vgl. hierzu auch Trabert & Luderer, 1997; s. a. Anhang D, S. 141) oder durch klinikinterne Ausbildung unter

Anleitung von AMDP-erfahrenen Kollegen. Jedoch auch diese sollten sich immer wieder mit dem AMDP-Manual beschäftigen, was aufgrund von Ergebnissen aus Interraterstudien zu fordern ist, da das Ausmaß der Interrater-Reliabilität auch bei AMDP-Erfahrenen nicht immer befriedigend hoch ist (vgl. Fähndrich & Renfordt, 1985; Stieglitz et al., 1988). So konnte wiederholt gezeigt werden, dass sich diese oft bei ihren Urteilen nicht eng genug an die Definitionen der Symptome des AMDP-Systems halten. Weitere Informationen zur Durchführung von Trainingsseminaren finden sich auch im Anhang D (vgl. S. 141; vgl. auch Homepage www.amdp.de).

Generell gilt es, die im folgenden Kasten zusammengefassten Aspekte besonders zu berücksichtigen.

Grundlagen des diagnostischen Prozesses im AMDP-System

- Festlegung des Beurteilungszeitraums (wichtig: alle Fragen und Antworten des Patienten beziehen sich nur auf diesen Zeitraum).
- Besondere Beachtung derjenigen Symptome, die unbedingt exploriert werden müssen (sog. S-/SF-Symptome).
- Beachtung des Entscheidungsbaums, d.h. S-/SF-Symptome müssen so lange exploriert werden, bis eine Entscheidung möglich ist (vgl. Abbildung 3, S. 58).
- Besonders relevant ist die Schwelle von „nicht vorhanden“ nach „leicht“.
- Bei der Kodierung auf den Dokumentationsbelegen Nutzung des Manuals (Beachtung Definition, Erläuterungen und Beispiele, Hinweise zur Graduierung, abzugrenzende Begriffe).

3.3 Durchführung

3.3.1 Allgemeine Einführung

Die Durchführung des Interviews setzt theoretische wie praktische Kenntnisse sowie Erfahrung in Psychopathologie ebenso voraus, wie besonders die Vertrautheit und Erfahrung mit dem AMDP-System selbst. Vor einer routinemäßigen Anwendung ist ein *ausführliches Training* unabdingbar notwendig (vgl. hierzu auch Kapitel 3.2). Für die Beurteilung des jeweiligen Merkmals sind alle zur Verfügung stehenden objektiven wie subjektiven Informationen heranzuziehen (vgl. auch Kapitel 2.4), d.h.

- Informationen, die der Patient selbst liefert,
- Beobachtungen durch den Untersucher in der aktuellen Interviewsituation sowie
- vorliegende Angaben von Dritten (z.B. Pflegepersonal, Angehörige).

Es ist daher notwendig, zu allen zu beurteilenden Merkmalen möglichst detaillierte Informationen einzuholen, was im Wesentlichen auch Ziel des vorliegenden Interviews ist. In der Praxis wird der Untersucher in bestimmten Situationen oft allein auf die von ihm erhobenen Informationen angewiesen sein, die daher umso sorgfältiger zu erfragen und zu gewichten sind.

Hierbei kann dem Untersucher der *AMDP-Entscheidungsbaum* (vgl. Abbildung 3 in Kapitel 3.4) hilfreich sein. Er muss sich während der Informationserhebung bei jedem Symptom darüber klar werden, ob genügend Informationen zur Verfügung stehen, um zu einer Entscheidung hinsichtlich der vorgegebenen Antwortkategorien zu gelangen. Ziel ist es, jedes Symptom zu quantifizieren (von 0 = nicht vorhanden bis 3 = schwer). In einigen Fällen ist es jedoch trotz intensiven Bemühens des Untersuchers nicht möglich, zu einer zuverlässigen Bewertung zu gelangen (z.B. Patient antwortet nicht, Angaben sind nicht zu präzisieren). Für diese Fälle ist die Kategorie „keine Aussage“ vorgesehen. Sie signalisiert, dass das entsprechende Symptom bei nächster Gelegenheit nochmals zu untersuchen ist!

Zu Beginn der Befunderhebung muss klar sein, auf welchen *Beurteilungszeitraum* sich die Einschätzungen beziehen sollen (s.o.). Entsprechend dem Vorschlag von AMDP (2023) ist der psychopathologische und somatische Befund am Tag des Interviews jeweils ein Querschnittsbefund einer bestimmten Zeitperiode. Diese ist vor Beginn des Interviews festzulegen. Ist eine

Dokumentation mittels AMDP-Belegen vorgesehen, so ist dieser Zeitraum im Kopf der Belege einzutragen. Wird keine spezifische Fragestellung verfolgt, empfiehlt AMDP (2023) einen *Beurteilungszeitraum* der „letzten drei bis vier Tage“, jedoch auch andere Bereiche sind denkbar (z.B. in Abhängigkeit von festgelegten Messabständen im Rahmen einer Therapiestudie). Beim parallelen Einsatz von anderen Ratingskalen sollten die letzten 7 Tage gewählt werden, da dieser dort oft gewählt wird (z.B. Symptom Checklist, SCL-90-R oder Beck-Depressions-Inventar, BDI). Der festgelegte Beurteilungszeitraum muss dem Patienten zu Beginn erläutert werden. Im Verlauf des Gesprächs sollte auf diesen Zeitraum immer wieder hingewiesen werden (z.B. „Wie war es in den letzten ... Tagen?“). Da der Beurteilungszeitraum von großer Bedeutung ist, soll an dieser Stelle nochmals auf einige Aspekte explizit hingewiesen werden. In Tabelle 9 finden sich Kriterien und Hinweise, wie ein Zeitraum in Abhängigkeit von der Zielsetzung der Untersuchung festgelegt werden kann. In Tabelle 10 finden sich Hinweise auf un-

Tabelle 9: Beurteilungszeitraum im AMDP-System

Phase der Informationserhebung	**Beurteilungszeitraum** *Wichtig:* Festlegung abhängig von der Zielsetzung der psychopathologischen Befunderhebung!
Aufnahmebefund (z.B. bei stationärer Aufnahme)	• eher etwas größer halten (z.B. die letzten 14 Tage) • auf keinen Fall nur die letzten Tage
Diagnosestellung	• orientiert sich an der jeweils interessierenden Diagnose • *Beispiel:* depressive Episode nach ICD-10/-11 die letzten 2 Wochen
Verlaufsdokumentation	• *empfohlen:* die letzten 3 bis 4 Tage • wenn Vergleich mit anderen Instrumenten geplant (z.B. Selbstbeurteilungsverfahren), dann die letzten 7 Tage

terschiedliche Probleme in Abhängigkeit von der Wahl des Beurteilungszeitraums. In der Regel empfiehlt es sich nicht, nur den aktuellen Zeitpunkt der Untersuchung zur Beurteilung heranzuziehen, da viele Phänomene doch eher fluktuieren (z.B. Stimmen, die nicht kontinuierlich vorhanden sind).

Tabelle 10: Problem des Beurteilungszeitraums

Zeitraum (z.B. letzten 7 Tage)	Zeitpunkt der Untersuchung	Erläuterung und Beispiele
+	+	Eher überdauernde Phänomene, d.h. Symptome, die vermutlich nicht oder weniger stark fluktuieren, eher kontinuierlich vorhanden sind, d.h. über den gesamten Zeitraum wie auch aktuell zu beobachten sind. *Beispiel:* Wahn.
+	–	Symptome, die eher fluktuieren, nicht notwendigerweise zum Untersuchungszeitpunkt vorhanden sein müssen. *Beispiel:* Sinnestäuschungen.
–	+	Symptome, die nur aus der Untersuchungssituation heraus beurteilbar sind, resp. für die fremdanamnestische Angaben zur Bewertung notwendig sind. *Beispiel:* affektstarr, affektarm, verlangsamt.
–	–	Für den aktuellen psychopathologischen Befund nicht relevant, da nur in früheren Episoden vorhanden. *Beispiel:* Patient gibt an, früher einmal Stimmen gehört zu haben.

Anmerkung: +: Symptom vorhanden; –: Symptom nicht vorhanden

Spezielle Hinweise und Anmerkungen zur Durchführung von Interviews, die auf *Video* aufgezeichnet werden sollen (z. B. für multizentrische Studien zur Interraterreliabilität), finden sich bei Mormont (1987). Insbesondere bei videodokumentierten Befunderhebungen ist eine schriftliche Einwilligungserklärung des Patienten notwendig, aus der für diesen klar hervorgeht, für welche Zwecke das Interview genutzt werden soll. Vor allem im Hinblick auf Trainings haben sich Videoaufzeichnungen bewährt.

Das AMDP-System ist kein starr anzuwendendes Instrument. Es bietet vielmehr bzw. verlangt sogar eine flexible Anpassung entsprechend der jeweiligen Untersuchungssituation bzw. Bedürfnisse des Untersuchers (vgl. Kasten sowie Stieglitz et al., 2023a).

Praktische und flexible Anwendung des AMDP-Systems

- Anpassung an die Situation des einzelnen Patienten (z. B. bei starker Belastung des Patienten Aufteilung auf 2 Sitzungen).
- Anpassung an die Untersuchungssituation (z. B. in Aufnahmesituation unter Zeitdruck nur die wichtigsten Symptome erfragen).
- Anpassung an spezielle Bedingungen, Fragestellung (z. B. Selbst- und/oder Fremdgefährdung; vgl. Stieglitz & Ermer, 2004).
- Nur Syndrome von Interesse (= 70 Symptome).
- Ergänzung um R1- bis R14-Symptome (Psychischer Befund) bzw. R1- bis R7-Symptome (Somatischer Befund), d. h. um Symptome, die im AMDP-System nicht enthalten sind, aber einzelne Anwender besonders interessieren (z. B. in bestimmten Forschungsprojekten, bei bestimmten Patientengruppen).
- In den Rubriken R1 bis R14 bzw. R1 bis R7 können auch die die Zusatzmerkmale eingefügt werden.

3.3.2 Spezielle Hinweise

3.3.2.1 Ablauf des Interviews

Neben den im Kapitel 4 zusammengestellten Fragen zu den einzelnen Symptomen sind einige allgemeine Punkte bei der Interviewführung zu bedenken, auf die im Folgenden kurz hingewiesen werden soll:

1. Das Interview beginnt mit der sogenannten *Einleitungs- oder „Warming up"-Phase* (ca. 5 Minuten), an die sich die Exploration der Symptome der einzelnen Merkmalsbereiche anschließt. In dieser Phase geht es hauptsächlich darum, einen Kontakt zum Patienten herzustellen, ihn über den Zweck des Gesprächs zu informieren sowie ihn für das Gespräch zu motivieren und ihn zu ermutigen, über seine Beschwerden und Schwierigkeiten zu berichten. Der Patient sollte in dieser Phase den Gang des Gesprächs weitgehend selbst bestimmen. Der Untersucher sollte, statt zu fragen, zunächst zuhören und den Patienten beobachten. In dieser Phase des Gesprächs sollte auch das Ziel und die zur Verfügung stehende Zeit genannt werden. Der Untersucher signalisiert sein Interesse durch Blickkontakt, Nicken oder kurze Äußerungen (s.a. Dittmann, 1996).
2. Die *Reihenfolge der Bereiche,* die zu explorieren sind, ist nicht festgelegt und sollte sich aufgrund der ersten Eindrücke und den freien Schilderungen des Patienten in der Warming-up-Phase ergeben. Meist werden besonders relevante und belastende Beschwerden vom Patienten zunächst genannt und sollten daher im weiteren Gespräch genauer besprochen werden. Ergibt sich jedoch kein zwingender Ablauf des Gesprächs, so bieten sich die in Tabelle 11 vorgeschlagene Komplexe an, d.h. bestimmte inhaltlich zusammengehörige Merkmalsbereiche sollten auch möglichst gemeinsam erfragt werden, um einen harmonischen und flüssigen Gesprächsablauf zu erreichen und dadurch auch Zeit zu sparen.

Tabelle 11: Vorschläge zur Exploration zusammenhängender Merkmalsbereiche

Komplex	Merkmalsbereiche
1	• Störungen der Affektivität • Circadiane Besonderheiten • Antriebs- und psychomotorische Störungen • Befürchtungen und Zwänge
2	• Bewusstseinsstörungen • Orientierungsstörungen • Aufmerksamkeits- und Gedächtnisstörungen • Formale Denkstörungen
3	• Wahn • Sinnestäuschungen • Ich-Störungen
4	• andere Störungen • ggf. somatische Symptome

3. Die einzelnen Merkmalsbereiche sollten *nicht „mechanisch“* nacheinander abgefragt werden, sondern die Exploration sollte sich dem natürlichen Gesprächsverlauf anpassen. Der Interviewer sollte dabei auf Themen, die vom Patienten angesprochen werden, eingehen. Er sollte nicht versuchen, einen bestimmten, von ihm geplanten Ablauf um jeden Preis durchzusetzen.
4. Eine übertriebene *Fixierung auf den Interviewleitfaden* sollte ebenfalls vermieden werden. Diese ist einerseits für die Interaktion mit dem Patienten ungünstig, andererseits besteht die Gefahr, die Breite des Spektrums erfassbarer Symptome durch Oberflächlichkeit zu ersetzen (Hron, 1982).
5. Alle Bereiche müssen im Laufe des Interviews angesprochen werden, d.h. zu allen Bereichen müssen zumindest die vorgeschlagenen *Einstiegsfragen* gestellt werden, um zu prüfen, ob in diesem Bereich überhaupt eine Symptomatik vorliegt.
6. Ergeben sich in einem Merkmalsbereich (z.B. Wahn, Sinnestäuschungen) aufgrund der Eingangsfrage keinerlei Hinweise auf das Vorliegen von Symptomen, so brauchen die

nachfolgend aufgeführten Symptomfragen nicht weiter gestellt werden. Es kann dann *zum nächsten Merkmalsbereich übergegangen* werden.
7. Ergeben sich im Verlauf des Interviews neue Hinweise auf Auffälligkeiten in bereits besprochenen oder übersprungenen Bereichen, so müssen diese erneut aufgegriffen und detailliert *nachexploriert* werden.
8. Ist ein Bereich ausreichend exploriert, so bieten sich *Überleitungen* auf andere Themenbereiche mit folgenden Hinweisen an:
   - „Ich möchte jetzt auf ein ganz anderes Thema zu sprechen kommen."
   - „Ich möchte jetzt noch einen ganz anderen Bereich ansprechen."
   - „Ich möchte Sie jetzt noch einmal etwas ganz anderes fragen."
   - „Sie haben vorhin bereits ... erwähnt. Ich möchte jetzt noch einmal darauf zurückkommen."

3.3.2.2 Interviewerverhalten

Auch wenn in Kapitel 4 die zur Informationserhebung notwendigen Fragen zu den einzelnen Symptomen zusammengestellt sind, werden an den Interviewer bestimmte Anforderungen hinsichtlich der Gesprächsführung gestellt.

Zunächst einmal sollte der Untersucher *allgemeine Prinzipien* beachten wie

- dem Patienten genügend Platz lassen, über seine Beschwerden zu berichten,
- eine zugewandte Haltung einnehmen,
- Interesse zeigen, Unterstützung durch non-/paraverbale Äußerungen (z. B. Kopfnicken) signalisieren,
- dem Patienten Zeit zum Überlegen lassen,
- eine angemessene Sprache wählen (einfach, verständlich),
- Polarisierungen, Konfrontationen vermeiden,
- das gemeinsame Interesse im Hinblick auf die Klärung von Problemen, die gemeinsame Suche nach deren Lösungen betonen.

Weiterhin gilt es, Vorgehensweisen des Untersuchers danach zu unterscheiden, ob sie zur Strukturierung des Gesprächs oder aber zur Präzisierung der erhaltenen Informationen dienen (vgl. zur Unterscheidung auch Othmer & Othmer, 1994). Durch die *Strukturierung* soll erreicht werden, dass das Gespräch möglichst einen natürlichen, harmonischen Verlauf hat, vor allem aber auch möglichst nicht unnötig lang wird. Fragen zur *Präzisierung* dienen dazu, die vom Patienten genannten Beschwerden und Probleme richtig zu verstehen und dann entsprechend dem Entscheidungsbaum die richtigen Bewertungen vornehmen zu können.

Strukturierung

- Allgemein empfiehlt sich, mit eher *unverfänglichen Bereichen* zu beginnen. Hierzu zählen z. B. Fragen zur allgemeinen Befindlichkeit oder zur Stimmung (vgl. auch Tabelle 11).
- Bei Symptomen oder Beschwerden, die vom Patienten spontan angesprochen werden, die aber gerade nicht in das Gespräch passen, sollte *auf später verwiesen* werden (z. B. „Sie haben eben auch ... angesprochen. Darauf möchte ich später nochmals genauer zurückkommen").
- Es ist darauf zu achten, *inhaltlich zusammengehörige Bereiche* auch gemeinsam zu explorieren, da dann Überleitungen leichter gelingen (z. B. Schlafstörungen und Grübeln; deprimiert und circadiane Besonderheiten; vgl. auch Tabelle 11).
- *Überleitungen auf andere Themen* ergeben sich oft durch die Beziehung der Themen untereinander, müssen jedoch u. U. auch herbeigeführt werden, um das Gespräch nicht zu lang werden zu lassen und sich auf das Wesentliche zu konzentrieren (z. B. „Ich möchte jetzt auf ein ganz anderes Thema zu sprechen kommen").
- *Sensible Bereiche* (z. B. Orientierungsstörungen, Suizidalität, Wahn oder Halluzinationen) müssen besonders vorsichtig eingeführt werden (z. B. „Manchmal berichten Menschen, dass sie ... Kennen Sie so etwas auch?").
- Bereits vom Patienten angesprochene *Beschwerden* sollten an passender Stelle *noch einmal aufgegriffen* werden, wenn eine genauere Abklärung notwendig ist (z. B. „Sie haben vorhin

davon gesprochen, schlecht zu schlafen. Vielleicht können wir uns darüber noch etwas genauer unterhalten?"; „Wir haben vorhin bereits kurz über ... gesprochen, ich muss dazu noch einmal etwas genauer nachfragen").

- Während des Interviews sollte (wenn möglich) *nicht mitgeschrieben* werden (höchstens Stichworte als Gedächtnisstütze für eine nachträgliche schriftliche Aufzeichnung). Falls dennoch Aufzeichnungen gemacht werden, muss dies dem Patienten zuvor erläutert werden. Dies gilt natürlich auch für Videoaufzeichnungen, für die der Patient zudem sein schriftliches Einverständnis geben muss (s.o.).

Präzisierung

- Bei *unverständlichen, vagen Angaben* des Patienten oder Benutzung von Fremdworten, Fachtermini muss nachgefragt werden (z.B. „Das habe ich nicht ganz verstanden. Könnten Sie mir das näher erklären?"; „Sie haben eben den Begriff ... benutzt. Was verstehen Sie darunter?", „Wie meinen Sie das?").
- Bei *Unsicherheit*, ob man den Patienten richtig verstanden hat, kann man versuchen, das Verstandene zusammenzufassen (z.B. „Ich bin mir nicht sicher, ob ich Sie richtig verstanden habe und möchte noch einmal kurz wiederholen ...").
- Beim *Ausweichen* oder Entfernen von der gestellten Frage sollte durch gezieltes Zurückführen eine Präzisierung erfolgen (z.B. „Ich möchte noch einmal auf meine Frage zurückkommen und etwas genauer nachfragen").
- Entsteht der Eindruck, dass der Patient eine *Frage nicht richtig verstanden* hat, sollte diese nochmals in anderen Worten wiederholt werden. Gelegentlich ist es auch notwendig, nachzufragen (z.B. „Wissen Sie, was ich Sie gerade gefragt habe?").
- Bei *Verdacht auf unrichtige Antworten* (oder inkonsistente Antworten) sollte die entsprechende Frage im Sinne einer Kontrollfrage zur Überprüfung zu einem späteren Zeitpunkt im Interview erneut gestellt werden.
- Bei *Verdachtsmomenten* sollte gezielt weiter exploriert werden (z.B. „Ich habe den Eindruck, dass ... Wie sehen Sie das?").

- Bei Verdacht auf *Suggestibilität* muss der Patient ermutigt werden, seine Antworten näher zu erläutern und/oder Beispiele zu nennen (vgl. auch Kapitel 2.2).
- Hat ein Patient Schwierigkeiten, auf eine Frage zu antworten (z. B. er hat die Frage nicht richtig verstanden), kann *Hilfestellung* durch Beispiele gegeben werden (z. B. „Manche Patienten berichten, dass ... Kennen Sie so etwas auch?"). Dabei ist jedoch Suggestibilität zu vermeiden, d. h. dem Patienten nicht die Antwort in den Mund zu legen. Bei Bejahung sollte der Patient auch hier um weitere Erläuterungen und Beispiele gebeten werden.
- Will oder kann der Patient zu bestimmten Themen oder Fragen keine Antworten geben, sollte eine *direkte Konfrontation vermieden* werden. Der Patient sollte vielmehr ermutigt und angeregt werden, dennoch darüber zu sprechen (z. B. „Was meinen Sie, wie kann man sich das erklären?", „Wie konnte dies geschehen?") oder darauf hingewiesen werden, dass man darüber zu einem späteren Zeitpunkt nochmals sprechen kann.
- Bei nicht plausiblen und *unlogischen Zusammenhängen* sollte der Patient ermutigt werden, diese zu erläutern (z. B. „Ich verstehe noch nicht, wie (...) und (...) zusammenpassen. Können Sie mir das erklären?").
- Ein Symptom muss so lange exploriert werden, bis dem Interviewer eine *Entscheidung möglich* ist (siehe Grundlage der Entscheidungslogik; AMDP, 2023 sowie Kapitel 3.4).

Auch wenn die AMDP-Dokumentationsbelege nicht benutzt werden, sollten diese Hinweise bei der Durchführung des Interviews unbedingt berücksichtigt werden.

3.3.3 Umgang mit schwierigen Situationen

Die psychopathologische Befunderhebung kann sich im Einzelfall durchaus als schwierig erweisen. Es kann vorkommen, dass der Patient von vornherein eher ablehnend, kritisch oder misstrauisch ist, resp. sich erst im Verlauf des Gesprächs schwierige Punkte ergeben. Darüber hinaus können an einzelnen Stellen punktuelle Schwierigkeiten auftreten (z. B. Verständigungsprobleme). Die nachfolgenden Anmerkungen sollen Hilfestellung geben, diese zu überwinden (vgl. auch Stieglitz & Haug, 2023).

Generelle Strategien

Folgende allgemeine Vorgehensweisen haben sich bewährt:
- ausführliche Information über Sinn und Zweck der Untersuchung,
- Beginn mit eher unproblematischen Themen,
- bei Bedarf Unterbrechung und Verteilung auf weitere Sitzung,
- ggf. wiederholter Hinweis auf Vertraulichkeit.

Spezielle Strategien

Nachfolgend einige typische Situationen, die in Gesprächen auftreten können und Vorschläge, wie damit umzugehen ist:
- Patient verweigert Antwort → jetzt Antwort nicht erzwingen, bei nächster Gelegenheit darüber reden,
- Patient ist unkonzentriert und abgelenkt → Frage wiederholen,
- Patient ist logorrhoisch → unterbrechen, auf Frage/Thema zurückkommen,
- Patient ist misstrauisch → Hinweis auf absolute Vertraulichkeit,
- Patient ist dysphorisch, gereizt → unverfängliches Thema wählen, eventuell eher problematische Themen später, zu einem anderen Zeitpunkt im Gespräch oder zu einem anderen Termin ansprechen,
- Patient kann Frage nicht beantworten bzw. weicht aus → Frage wiederholen und Pause geben,
- Patient versteht Frage(n) nicht → wiederholen, Beispiele geben, in anderen Worten umschreiben,
- Patient erlebt Thema als bedrohlich → Normalisieren (z. B. „Viele Patienten berichten mir, dass ...“),
- Patient ist „unwillig“ → offene Fragen stellen, keine Ja-Nein-Fragen, zum Reden ermutigen (z. B. „Reden Sie weiter“),
- Patient ist motorisch sehr unruhig → ansprechen und anbieten, einmal aufzustehen, etwas zu laufen o. Ä.

3.4 Dokumentation und Auswertung

Die Auswertung des Interviews erfolgt in Abhängigkeit von der Zielsetzung. Die erhobenen Informationen können als Grundlage eines *frei formulierten psychopathologischen Befundes* verwendet werden. Sie können jedoch auch als Basis für das *Ausfüllen der AMDP-Dokumentationsbelege* dienen. Dann ist entsprechend den Ausführungen im Manual (AMDP, 2023) vorzugehen.

Entscheidungen werden vom Interviewer auf unterschiedlichen Ebenen verlangt. Es lassen sich *vier Ebenen* unterscheiden, die in Abbildung 3 aufgeführt sind:

1. *Beurteilbarkeit* (beurteilbar versus nicht untersuchbar),
2. *Entscheidungssicherheit* über das Vorhandensein oder Nicht-Vorhandensein (sicher versus fraglich vorhanden),
3. *Vorhandensein* (vorhanden versus nicht vorhanden),
4. *Quantifizierung* (leicht, mittel, schwer): Die Quantifizierung soll sich entsprechend den im Testmanual aufgeführten Beispielen für die Skalenstufen orientieren.

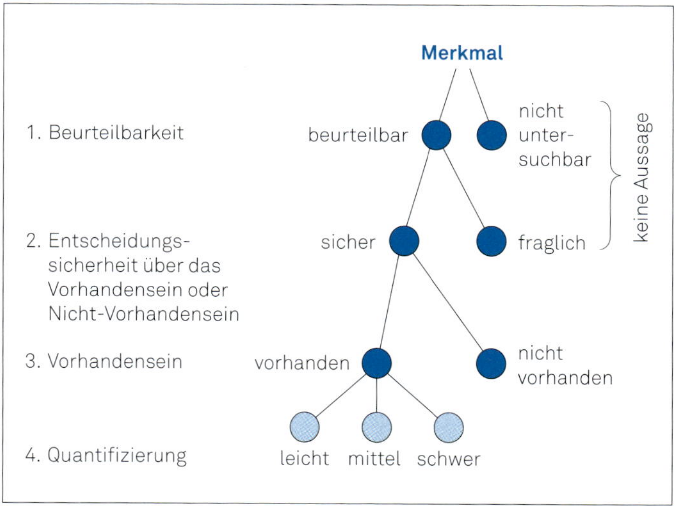

Abbildung 3: AMDP-Entscheidungsbaum

Die einzelnen Entscheidungsebenen sollen kurz erläutert werden:

Auf der Ebene der *Beurteilbarkeit* muss der Untersucher entscheiden, ob das von ihm zu beurteilende Merkmal tatsächlich beurteilbar oder nicht untersuchbar ist. Ein sog. S-Merkmal (z. B. Insuffizienzgefühle) ist nicht untersuchbar, wenn z. B. ein Patient mutistisch ist. Auf der nächsten Ebene geht es im Hinblick auf die Entscheidungssicherheit um die Differenzierung zwischen sicher oder fraglich vorhanden. Ein Merkmal ist fraglich vorhanden, wenn z. B. ein Patient im Gespräch wenig Kooperationsbereitschaft zeigt oder auf Fragen nur mit „ja" oder „nein" antwortet, ohne dies näher erläutern zu können.

Gibt der Patient dagegen differenziert Auskunft zu den Symptomen, so ist über das *Vorhandensein* meist leicht zu entscheiden. Die *Quantifizierung* erfolgt dann, wie bereits ausgeführt, anhand der Beispiele zur Skalierung des jeweiligen Symptoms. Das vorliegende Interview hilft insbesondere, auf den Stufen 2 und 3 zu einer Klärung zu kommen, da die Kategorie „keine Aussage" möglichst vermieden werden sollte. Das Manual gibt zudem besondere Regeln für die Quantifizierung vor.

Der Dokumentationsbogen ist im Anschluss auf *Vollständigkeit* zu prüfen (pro Symptom muss eine Markierung vorhanden sein). Bei nicht untersuchbaren resp. fraglich vorhandenen Symptomen wird die Kodierung „keine Aussage" gewählt. Falls vergessen wurde, ein Symptom zu explorieren, ist gleichfalls „keine Aussage" zu markieren. Zum Abschluss der Befunderhebung kann der Interviewer zudem eine Globaleinschätzung in der Rubrik *„Befundunsicherheit"* abgeben (nicht vorhanden - leicht - mittel - schwer). Hier gilt es einzuschätzen, wie zuverlässig der Untersucher die von ihm erhobenen Befunde einschätzt. Das Urteil wird im Wesentlichen mit beeinflusst z. B. durch die Kooperationsbereitschaft des Patienten oder seiner Fähigkeit, präzise Auskunft zu geben.

Die *ausgefüllten Dokumentationsbögen* können in unterschiedlicher Weise weiterverwendet werden. So können sie z. B. als Teil einer Basisdokumentation der Krankengeschichte beigelegt, resp. elektronisch gespeichert werden. Sie sind eine gute Gedächtnisstütze für den psychopathologischen Aufnahme- und Entlassungsbefund, den Arztbrief, Befundberichte für die Kostenträger, für Gutachten usw. Sie können jedoch auch als Grundlage einer Auswertung auf Syndrom- oder Skalenebene (per Hand oder Computer) dienen. Hierzu wurden von Gebhardt et al. (1983; vgl. auch Pietzcker et al., 1983; Baumann & Stieglitz, 1983; Stieglitz & Schaub, 1997) Skalenvorschläge gemacht, für die Normwerte bestimmt werden können (vgl. auch Anhang A, S. 129). In der Regel dienen sie jedoch als Basis des zu formulierenden psychopathologischen Befundes.

Die *Auswertung auf Syndrom- und Skalenebene* (vgl. auch Baumann & Stieglitz, 1983) erfolgt durch einfache Aufsummierung der Werte der einzelnen Symptome, die einem bestimmten

Tabelle 12: Auswertungsbeispiel für die Skala „Manisches Syndrom“

Schritt	Ergebnis			
Symptom-ebene	Symptom 22	„ideenflüchtig“	nicht vorhanden	= 0
	Symptom 66	„euphorisch“	mittel	= 2
	Symptom 72	„gesteigertes Selbstwertgefühl“	mittel	= 2
	Symptom 82	„antriebsgesteigert“	mittel	= 2
	Symptom 83	„motorisch unruhig“	leicht	= 1
	Symptom 88	„logorrhoisch“	schwer	= 3
	Symptom 93	„soziale Umtriebigkeit“	keine Aussage	= 0
Syndrom-ebene	Summenwert = 10 Normwert T = 72			
Inter-pretation	Überdurchschnittlich ausgeprägt in Relation zu einer Stichprobe (N = 2 313) diagnostisch heterogener stationär behandelter psychiatrischer Patienten.			

Syndrom zugeordnet wurden. Dabei entsprechen den einzelnen Abstufungen folgende Skalenwerten: nicht vorhanden oder keine Aussage = 0, leicht = 1, mittel = 2 und schwer = 3.

Die Kategorie „keine Aussage" wird also als sog. „Missing Data" angesehen und mit 0 kodiert. Eine Syndromauswertung kann nur dann erfolgen, wenn nicht mehr als ein Missing Data pro Syndrom vorliegt.

Die ermittelten Summenwerte können dann in sog. Normwerte (T-Werte) transformiert werden, wie es exemplarisch in Tabelle 12 aufgeführt ist.

4 Interview

Die Strukturierung der Fragen des Interviews erfolgt aus didaktischen Gründen entlang der Merkmalsbereiche des AMDP-Systems. Wie bereits in Kapitel 3.3.2.2 erwähnt, bedeutet dies jedoch nicht, dass die Fragen des Interviewleitfadens in dieser Reihenfolge gestellt werden müssen. Vielmehr sollen die dort aufgeführten allgemeinen wie spezifischen Vorschläge in der Interviewgestaltung berücksichtigt werden (vgl. Kapitel 3.3). Entscheidend ist die *Flexibilität des Untersuchers,* sich auf die konkrete Untersuchungssituation des Patienten einzustellen, was auch durch die gewählte Begrifflichkeit „halbstrukturiert" zur Charakterisierung des Interviews betont wird (vgl. Kapitel 2).

Im Einzelnen gliedert sich der nachfolgende *Interviewteil* in folgende *Abschnitte:*

Gliederung des Interviews

4.1	Beginn des Interviews
4.2	Halbstrukturierter Teil des Interviews
4.2.1	Bewusstseinsstörungen
4.2.2	Orientierungsstörungen
4.2.3	Aufmerksamkeits- und Gedächtnisstörungen
4.2.4	Formale Denkstörungen
4.2.5	Befürchtungen und Zwänge
4.2.6	Wahn
4.2.7	Sinnestäuschungen
4.2.8	Ich-Störungen
4.2.9	Störungen der Affektivität
4.2.10	Antriebs- und psychomotorische Störungen
4.2.11	Circadiane Besonderheiten
4.2.12	Andere Störungen
4.2.13	Somatischer Befund
4.2.14	Zusatzmerkmale
4.3	Beendigung des Interviews

Für Symptome, die auf reiner Fremdbeobachtung beruhen (vgl. hierzu auch Kapitel 2.4), können keine Fragen vorgegeben werden. Aus didaktischen Gründen wurden jedoch alle Symptome des Psychischen Befundes und Teile des Somatischen Befundes in die nachfolgenden Zusammenstellungen aufgenommen und mit F gekennzeichnet. Wenn nötig, wurden für diese sog. F-Merkmale jedoch Hinweise ergänzt, worauf besonders zu achten ist.

Es ist an dieser Stelle nochmals darauf hinzuweisen, dass die nachfolgenden Fragen dazu dienen, die *Informationsvarianz* zu reduzieren, indem allen Untersuchern dieselben Fragen zur Verfügung stehen. Zur Reduzierung der *Beobachtungsvarianz* (Vereinheitlichung der Beurteilung) ist es unabdingbar notwendig, das *Manual des AMDP-Systems* heranzuziehen, in dem neben den Definitionen auch Hinweise für die Skalenstufen „leicht“ und „schwer“ enthalten sind.

4.1 Beginn des Interviews

Das Interview beginnt mit einer kurzen Einführung und Erklärung über den Zweck und den Verlauf des Gesprächs (vgl. auch Kapitel 1.4).

Ein *Erstinterview* könnte z. B. wie folgt eingeleitet werden:

> „Ich möchte mich mit Ihnen darüber unterhalten, was Sie zu uns geführt hat und wie es Ihnen geht. Wir haben Zeit, wir können in Ruhe darüber sprechen. Vielleicht beginnen wir das Gespräch damit, dass Sie mir erzählen“:
> - „Seit wann Sie hier sind und warum Sie zu uns gekommen sind?“
> - „Haben Sie in der letzten Zeit irgendwelche Probleme (Ärger, Schwierigkeiten) gehabt?“ (Falls ja) „Welche? Können Sie mir mehr darüber berichten?“

Nachdem dem Patienten Gelegenheit gegeben wurde, *spontan* die für ihn im Vordergrund stehenden und als besonders wichtig erlebten Beschwerden zu nennen, sollte nach einiger Zeit dazu übergegangen werden, auf den halbstrukturierten Teil überzuleiten:

> „Ich möchte Ihnen jetzt eine Reihe von Fragen stellen, um Sie (alternativ: Ihre Probleme) besser verstehen zu können."

Folgende mögliche Ergänzung bietet sich an:

> „Es handelt sich dabei um Fragen, die ich allen Patienten stelle. Es wird daher sicher nicht alles auf Sie zutreffen, so dass Sie über bestimmte Fragen nicht verwundert (irritiert) sein müssen."

Bei *Folge- oder Wiederholungsinterviews* ist entsprechend den Vorschlägen in Kapitel 2.4 zu verfahren. Wichtig ist bei *jedem Interview*, dem Patienten zu Beginn den *Beurteilungszeitraum* (i.d.R. die letzten 3 bis 4 Tage) zu verdeutlichen:

> „Ich möchte jetzt (heute) mit Ihnen darüber sprechen, wie es Ihnen in den letzten 3 bis 4 Tagen ergangen ist. Wie war da Ihre Stimmung, Ihr Befinden in dieser Zeit?"

Weiterhin sollte bei Unklarheit im Gespräch, ob die Angaben des Patienten tatsächlich auf diesen Zeitrahmen bezogen sind, nachgefragt werden:

> „Was Sie mir eben berichtet haben, war das auch in den letzten 3 bis 4 Tagen so?"

Zu Beginn eines Gesprächs bietet es sich an, den Patienten darauf hinzuweisen, wie viel resp. dass genügend Zeit zur Verfügung steht (z.B. „Wir haben jetzt genügend Zeit, um uns über Ihre Probleme zu unterhalten" oder „Wir haben jetzt eine halbe Stunde Zeit ...").

Ebenfalls zu Beginn jedes Interviews sollte darauf hingewiesen werden, dass der Patient bei auftretenden Unklarheiten zu jedem Zeitpunkt nachfragen darf und sollte (Prüfer & Stiegler, 2002):

- „Bitte sagen Sie mir, wenn Sie eine Frage nicht richtig verstanden haben oder bei einer Frage irgendwelche Unklarheiten bestehen.“
- „Ist Ihnen eine Frage unklar, fragen Sie ruhig nach.“
- „Um Sie besser zu verstehen, werde ich Sie manchmal bitten, mir Beispiele zu nennen.“

4.2 Halbstrukturierter Teil des Interviews

4.2.1 Bewusstseinsstörungen

Allgemeine Vorbemerkungen

Die Symptome dieses Merkmalsbereiches sind meist aufgrund des Gesamteindrucks im Interview zu beurteilen. Ein Beginn des Interviews mit diesem Bereich empfiehlt sich nicht, auch wenn dieser Merkmalsbereich als erster im Manual und auf dem Dokumentationsbogen aufgeführt ist. „Bewusstseinsverschiebung“ muss, wenn nicht vom Patienten selbst berichtet, erfragt werden. Dies kann u. U. im Zusammenhang mit der Frage nach „Depersonalisation“ (Symptom 54) oder Sinnestäuschungen (Symptome 47 bis 52) erfolgen.

Einstiegsfrage

Zu diesem Merkmalsbereich gibt es keine spezielle Einstiegsfrage, da in ihm überwiegend Beobachtungsitems enthalten sind bzw. die Inhalte eher im Kontext anderer Symptome mit erfasst werden können. Ergeben sich Hinweise auf Bewusstseinsstörungen im Laufe des Gesprächs, so müssen diese durch gezieltes Nachfragen weiterverfolgt werden.

Symptom	SF[1]	Beispielfrage und/oder Anmerkungen
1. Bewusstseinsverminderung	F	(aus dem Gespräch zu erschließen)
2. Bewusstseinstrübung	F	(aus dem Gespräch zu erschließen)
3. Bewusstseinseinengung	SF	Wird meist nicht spontan berichtet (kann z. B. im Zusammenhang mit Halluzinationen näher exploriert werden). Falls Hinweise im Gespräch zu erkennen sind, sollten diese angesprochen werden z. B. • „Was war jetzt gerade?" • „Haben Sie den Eindruck, dass Sie völlig gefangen sind in Ihrem Erleben?"
4. Bewusstseinsverschiebung	S	Wird oft nicht spontan berichtet und muss daher vom Untersucher angesprochen werden. • „Haben Sie das Gefühl, z. B. die Farben intensiver zu sehen oder Musik lauter zu hören?" (Falls ja) „Bitte beschreiben Sie das genauer." • „Haben Sie das Gefühl, dass Ihre Wahrnehmung besonders scharf ist, dass Sie Dinge besonders gut wahrnehmen können?"

Anmerkung: [1] Abkürzungen vgl. Kapitel 2.4

4.2.2 Orientierungsstörungen

Allgemeine Vorbemerkungen

Die Beurteilung dieser Symptome kann durch direktes Erfragen und aufgrund des Gesprächsverlaufs erfolgen. Da Fragen nach Orientierungsstörungen vom Patienten als peinlich erlebt werden können, muss dem Patienten erklärt werden, warum es notwendig ist, diese Fragen dennoch zu stellen. Auch hier ist oft der Hinweis hilfreich, dass diese Fragen allen Patienten gestellt werden. Meist können diese Fragen auch in das normale Gespräch integriert werden. Dieser Merkmalsbereich sollte möglichst nicht gleich zu Beginn des Gesprächs exploriert werden.

Einstiegsfrage

Hier gelingt der Einstieg oft gut durch die folgenden Fragen:

- „Ich möchte Ihnen jetzt (noch) einige Fragen zu Ihrer Orientierung stellen. Wann sind Sie hergekommen?"
- „Ich möchte Sie jetzt konkret nach Dingen fragen, die Ihnen vielleicht etwas merkwürdig vorkommen. Aber diese Fragen muss ich allen Patienten stellen."

Symptom	SF	Beispielfrage und/oder Anmerkungen
5. zeitliche Orientierungsstörung	S	Wenn nicht im Gespräch bereits Thema, muss nachgefragt werden. • „Wann sind Sie in die Klinik gekommen?" (genaues Datum) • „Welches Datum haben wir heute?" (Tag, Monat, Jahr) • „Welche Jahreszeit haben wir jetzt?"
6. örtliche Orientierungsstörung	S	Wenn nicht im Gespräch bereits Thema, muss nachgefragt werden. • „Können Sie mir sagen, wo wir hier sind?" • „In welcher Stadt sind wir hier?" (in größeren Städten: Stadtteil)
7. situative Orientierungsstörung	S	Wenn nicht bereits aus dem Gespräch heraus zu beantworten, muss nachgefragt werden. • „In was für einer Art Einrichtung sind wir hier?" • „Was meinen Sie, welchen Beruf ich habe?" • „Was machen wir hier gerade?" (z. B. Gespräch, Video-Aufzeichnung)

Symptom	SF	Beispielfrage und/oder Anmerkungen
8. Orientierungsstörung über die eigene Person	S	Wenn nicht bereits aus dem Gespräch heraus zu beantworten, muss nachgefragt werden. • „Sagen Sie mir bitte, wann und wo Sie geboren sind und wo Sie zurzeit wohnen!“ • „Wie alt sind Sie?“ (wann geboren) • „Sind Sie verheiratet?“ • „Welchen Beruf haben Sie?“ • „Was machen Sie zurzeit beruflich?“

4.2.3 Aufmerksamkeits- und Gedächtnisstörungen

Allgemeine Vorbemerkungen

Dieser Bereich umfasst hauptsächlich verschiedene klinisch zu beurteilende Aspekte *kognitiver Fähigkeiten*. Die Beurteilung erfolgt aufgrund der Beobachtung des Verhaltens im Gespräch und der klinischen Prüfung. Den objektiv beobachtbaren Merkmalen kommt eine größere Bedeutung zu als der Selbstbeurteilung durch den Patienten. Von daher ist eine *klinische Prüfung* notwendig und sollte unbedingt durchgeführt werden, da eine Bewertung der Symptome aus dem Gespräch alleine heraus meist nicht hinreichend sicher gelingt, vor allem dann nicht, wenn die Symptomatik nur gering ausgeprägt ist.

Wichtig

Die Äußerung von Störungen in diesem Bereich (z.B. aufgrund von Insuffizienzgefühlen) entbindet den Untersucher nicht von der genauen Überprüfung. Es sollten dazu Aufgaben gestellt werden, die wirklich lösbar sind. Dabei ist jedoch zu bedenken, dass es sich bei diesen Prüfungen um relativ einfache Prüfungen handelt, die eine differenzierte test- oder neuropsychologische Untersuchung natürlich nicht ersetzen können. Im Anhang C (vgl. S. 136) finden sich konkrete Hilfestellungen und Beispiele für die Prüfungen.

Einstiegsfrage

„Ich würde mir jetzt gerne einen Eindruck darüber verschaffen, wie es mit Ihrer Konzentrationsfähigkeit steht und ob Ihr Gedächtnis in Ordnung ist (oder wie es mit Ihrem Gedächtnis klappt)."

Symptom	SF	Beispielfrage und/oder Anmerkungen
9. Auffassungsstörungen	SF	Falls sich Hinweise auf Auffassungsstörungen im Gespräch ergeben, sind diese zu prüfen. Dies kann zunächst durch z. B. einfaches Nachfragen erfolgen. • „Was habe ich Sie gerade gefragt?" • „Wissen Sie noch, was ich Sie gerade gefragt habe?" Zu einer besseren Einschätzung kommt man jedoch durch die Vorgabe von z. B. kleinen *Fabeln* oder *Sprichwörtern* (z. B. Morgenstund hat Gold im Mund; Aller Anfang ist schwer; Was Hänschen nicht lernt, lernt Hans nimmer mehr). • „Können Sie mir bitte folgendes Sprichwort erklären? (...) Was bedeutet das?" (vgl. auch Anhang C, S. 136) Eine Prüfung ist auch möglich durch die Vorgabe von *zwei* Begriffen (z. B. Apfel – Banane; Lob – Tadel; Auto – Fahrrad), deren *Gemeinsamkeit* oder *Unterschied* vom Patienten zu erklären ist. • „Können Sie mir erklären, was das Gemeinsame von einem Apfel und einer Banane ist?" (vgl. auch Anhang C, S. 136) • „Worin unterscheiden sich eine Treppe und eine Leiter?"
10. Konzentrationsstörungen	SF	Konzentrationsstörungen zeigen sich manchmal bereits im Gespräch, müssen jedoch zusätzlich vom Patienten beschrieben werden bzw. durch den Untersucher geprüft werden.

Symptom	SF	Beispielfrage und/oder Anmerkungen
		• „Wie würden Sie Ihre augenblickliche Konzentration einschätzen?“ • „Können Sie sich gut konzentrieren oder gibt es Schwierigkeiten?“ • „Was meinen Sie, wie klappt es z.Zt. mit Ihrer Konzentration? • „Können Sie sich so wie immer konzentrieren?“ (Falls ja) „Bitte geben Sie ein Beispiel.“ Cave bei Antwort „ja“, da Patienten oft Konzentration mit Merkfähigkeit oder Gedächtnis verwechseln! • „Fällt es Ihnen schwer, einem (diesem) Gespräch zu folgen, bei der Sache zu bleiben?“ • „Wie sieht es aus, wenn Sie die Zeitung oder ein Buch lesen? Macht das Probleme?“ • „Ich möchte mir jetzt gerne ein Bild davon machen, wie es mit Ihrer Konzentration klappt. Können Sie bitte ...“ (von 81 immer 4 oder 7 abziehen; die Monatsnamen rückwärts nennen, bei Dezember beginnend). Bei Wiederholungsuntersuchungen ist, um Lerneffekte zu vermeiden, bei einer anderen Zahl zu beginnen (z.B. statt 81 bei 83 oder 85; vgl. auch Anhang C, S. 136).
11. Merkfähigkeitsstörungen	SF	Dieser Bereich muss ebenfalls explizit geprüft werden (vgl. auch Anhang C, S. 136). • „Haben Sie Schwierigkeiten, sich etwas neu zu merken?“ • „Wie steht es damit, sich Dinge neu zu merken? Hat sich daran etwas verändert?“ • „Vergessen Sie zurzeit öfter Dinge?“ (Falls ja) „Können Sie Beispiele nennen?“ • „Wie schätzen Sie Ihre Merkfähigkeit ein?“ • „Können wir eine kleine Probe machen, sich Dinge neu zu merken? Bitte merken Sie sich die drei Begriffe 34, Oslo, Aschenbecher. Ich werde Sie nachher noch einmal danach fragen!“

Symptom	SF	Beispielfrage und/oder Anmerkungen
		Es ist darauf zu achten, dass sich der Patient die drei Begriffe auch tatsächlich eingeprägt hat (wichtig: sofort wiederholen lassen). Jede andere begriffliche Wahl ist selbstverständlich auch möglich! Es sollten jedoch Begriffe aus drei verschiedenen Bereichen sein (hier: 34 = Zahl, Oslo = Stadt, Aschenbecher = Gegenstand). Nach 10 Min. nachfragen: • „Können Sie sich noch an die drei Begriffe erinnern, die ich Ihnen vorhin genannt habe?“ Kann sich der Patient an einen oder auch alle Begriffe nicht erinnern, kann Hilfestellung gegeben werden. So kann z. B. gesagt werden: „Erinnern Sie sich noch, ein Begriff war eine Stadt?“ (eine Zahl, ein Gegenstand)
12. Gedächtnisstörungen	SF	Gedächtnisstörungen können gut aus der biografisch orientierten Exploration beurteilt werden. Gleichzeitig können die Begriffe, die unter Symptom 11 „Merkfähigkeitsstörungen“ überprüft wurden, nach mehr als 10 Min. erneut abgefragt werden (z. B. am Ende der Exploration; vgl. auch Anhang C, S. 136). • „Ich habe Ihnen vorhin drei Begriffe genannt. Können Sie sich noch daran erinnern?“ • Auch sind an dieser Stelle Fragen wie „Seit wann sind Sie hier?“ zu benutzen. Es kann auch nach Ereignissen der vergangenen Tage gefragt werden. • „Wissen Sie noch, was es heute zu Mittag gegeben hat?“ • „Wissen Sie noch, was es gestern Abend im Fernsehen gegeben hat?“
13. Konfabulationen	F	Bei Verdacht auf Konfabulationen muss mindestens eine identische Frage nach ca. 15 Min. wiederholt werden.

Symptom	SF	Beispielfrage und/oder Anmerkungen
		Es können z.B. wiederholt Fragen zum *Alltag* des Patienten (z.B. „Was haben Sie heute Vormittag gemacht?" oder „Was gab es heute zum Essen?") oder zur *Biografie* (z.B. Was haben Sie beruflich gemacht?") gestellt werden. Es kann auch nochmals nach den *drei Begriffen* gefragt werden: „Können Sie sich noch an die drei Begriffe von vorhin erinnern?"
14. Paramnesien	S	Bei diesem Symptom handelt es sich im AMDP-System um ein Merkmal, das in verschiedene Teilaspekte aufgeteilt ist und nur erfragt werden kann. Falls der Patient bei den nachfolgenden Fragen zustimmt, das Erleben genau beschreiben und Beispiele nennen lassen. Im Befundbericht ist der jeweilige Inhalt zu spezifizieren. • *Falsches Wiedererkennen (déjà-vu):* „Kennen Sie das Gefühl, dass Ihnen eine gänzlich neue Situation, ein ganz sicher unbekannter Ort plötzlich sehr vertraut vorkommen? So als ob Sie das bereits früher erlebt, gesehen haben? Obwohl Ihnen Ihr Verstand sagt, dass dies nicht sein kann?" • *Vermeintliche Fremdheit („jamais-vu"):* „Kennen Sie das Gefühl, dass Ihnen eine alltägliche Situation, ein ganz sicher bekannter Ort plötzlich ganz fremd vorkommt? So, als ob Sie das noch nie erlebt, noch nie gesehen haben? Obwohl Ihnen Ihr Verstand sagt, dass dies nicht sein kann?" • *Ekmnesien (Störung des Zeiterlebens):* „Sie sprechen von Ereignissen aus längst vergangener Zeit so, als ob sie gerade jetzt und hier stattfinden. Was glauben Sie, wann sich das abgespielt hat?"

Symptom	SF	Beispielfrage und/oder Anmerkungen
		• *Hypermnesien (Steigerung der Erinnerungsfähigkeit):* „Sie berichten ja sehr detailliert über Ihre Kindheit. Steht das alles sehr klar vor Ihnen? Ist Ihre Erinnerung dieser Zeit heute sogar viel klarer, genauer als früher?" „Manche Menschen haben manchmal das Gefühl, dass sich ihr Erinnerungsvermögen deutlich verschärft hat, sie alles viel schärfer erinnern als früher. Kennen Sie so etwas auch?" • *Flashbacks (Nachhallerinnerungen):* „Kennen Sie die Situation, dass bei bestimmten Wahrnehmungen, z. B. einem Geruch oder einer Melodie, für einen Augenblick die Erinnerung an eine bestimmte Episode, die damit verbunden ist, ganz klar wieder in Ihrem Bewusstsein ist, Sie sich z. B. wieder in der Kindheit wähnen oder ein sehr unangenehmes oder schreckliches Ereignis plötzlich wiedererleben?" • *Intrusion (sich aufdrängende Erinnerung nach einem Trauma):* „Nach ängstigenden Erlebnissen, wie z. B. einem Unfall oder anderen Situationen, denen man hilflos ausgeliefert war, taucht bei manchen Menschen diese Situation immer wieder plötzlich auf, man ist ihr erneut hilflos ausgeliefert, mit all den damaligen Gefühlen der Ohnmacht und Angst. Kennen Sie so etwas?" • *Falsche Erinnerung (false memory):* Ist eher ein Begriff aus der Forensischen Psychiatrie (z. B. verschiedene Zeugen erinnern dasselbe Ereignis ganz unterschiedlich). Lässt sich nicht direkt erfragen, ist aus den Antworten des Patienten zu vermuten und dann genau zu explorieren.

4.2.4 Formale Denkstörungen

Allgemeine Vorbemerkungen

Dieser Bereich ist überwiegend durch sorgfältige Beobachtung des Gesprächsablaufs in der Interviewsituation zu erschließen. Zusätzlich muss der Patient zu einigen Merkmalen befragt werden (z. B. 20 „grübeln").

Einstiegsfrage

„Wie klappt es im Augenblick mit dem Denken? Haben Sie irgendwelche Probleme bemerkt?"

Auch wenn der Patient diese Frage verneint, müssen alle mit „S" gekennzeichneten Symptome dennoch erfragt werden.

„Darf ich Ihnen dennoch einige Fragen genauer dazu stellen?"

Falls die Frage nicht verstanden wird, sollte mit den Beispielfragen zu Symptom 15 „gehemmt" begonnen werden.

Symptom	SF	Beispielfrage und/oder Anmerkungen
15. gehemmt	S	Häufig auch im Gespräch zu vermuten, wenn sich der Patient bemüht, die Fragen zu beantworten. • „Kennen Sie das Gefühl, dass das Denken schwerer als gewohnt geht? Brauchen Sie dazu mehr Kraft?" • „Manchmal hat man das Gefühl, das Denken geht wie gegen einen Widerstand. Kennen Sie das auch?" • „Kostet es Sie viel Kraft, einen Gedanken zu Ende zu bringen?" • „Gehen Ihre Gedanken langsam, schwer?" • „Kommt Ihnen Ihr Denken gebremst vor, so, als ob da ein Widerstand ist, gegen den Sie andenken müssen?"

Symptom	SF	Beispielfrage und/oder Anmerkungen
16. verlangsamt	F	(aus dem Gespräch zu erschließen)
17. umständlich	F	(aus dem Gespräch zu erschließen)
18. eingeengt	F	(aus dem Gespräch zu erschließen) Bei Hinweisen bzw. Verdacht auf eingeengtes Denken muss gezielt versucht werden, andere Themenbereiche anzubieten, um einzuschätzen, ob der Patient tatsächlich erneut von sich aus auf das für ihn zentrale Thema zurückkommt. Als neutrale oder eher positiv besetzte Themen bieten sich an: Interessen/Hobbys, Urlaub, Kinder/Enkel, Freizeitaktivitäten.
19. perseverierend	F	(aus dem Gespräch zu erschließen)
20. grübeln	S	Dieses Merkmal ist z. B. gut im Zusammenhang mit Schlafstörungen und deprimiert zu explorieren. Inhaltlich können in diesem Zusammenhang für den Patienten zentrale Themen (z. B. auch Schuldgefühle, Zwangsgedanken) exploriert werden. • „Müssen Sie über bestimmte Dinge immer und immer wieder nachdenken? Stört Sie das, ist Ihnen das unangenehm?“ • „Gehen Ihnen bestimmte Gedanken gar nicht mehr aus dem Kopf?“ • „Haben Sie das Gefühl, Ihre Gedanken drehen sich wie im Kreise?“
21. Gedankendrängen	S	Dieses Symptom kann z. B. auch im Zusammenhang mit dem Symptom 20 „grübeln“ exploriert werden. • „Haben Sie zurzeit zu viele Gedanken im Kopf? Gedanken, gegen die Sie sich gar nicht richtig wehren können? Die fast automatisch ablaufen?“ • „Haben Sie manchmal sogar zu viele Gedanken auf einmal, denen Sie geradezu ausgeliefert sind?“

Symptom	SF	Beispielfrage und/oder Anmerkungen
		• „Kennen Sie das Gefühl, dass Sie zu viele Gedanken gleichzeitig im Kopf haben, dass diese Gedanken eher unabhängig von Ihrem Willen sind (z. B. rasen)?“ • „Haben Sie zu viele Ideen, fühlen Sie sich im Augenblick reicher an Gedanken, haben Sie mehr davon als sonst?“
22. ideenflüchtig	F	(aus dem Gespräch zu erschließen)
23. vorbeireden	F	(aus dem Gespräch zu erschließen) Bei Verdacht auf Vorbeireden muss sich der Untersucher vergewissern, ob der Patient die Frage auch tatsächlich richtig verstanden hat: • „Können Sie noch einmal wiederholen, was ich Sie eben gerade gefragt habe?“
24. gesperrt/ Gedanken-abreißen	SF	Bei Beobachtung einer Sperrung muss nachgefragt werden: „Was war gerade?“ • „Haben Sie das Gefühl, dass Ihnen ein Gedanke öfter einmal einfach abhandengekommen ist, wie abgerissen ist?“ Eine Sperrung ist meist zu beobachten, während Gedankenabreißen exploriert werden muss. Hier kann evtl. auch gleich das Symptom 56 „Gedankenentzug“ mit exploriert werden. • „Kommt es manchmal vor, dass Ihnen bei einem Gedanken der Faden reißt?“ • „Haben Sie in letzter Zeit das Gefühl, dass Gedanken ohne Grund abreißen und unterbrochen werden? Haben Sie manchmal Schwierigkeiten, Gedanken zu Ende zu denken?“
25. inkohärent/ zerfahren	F	(aus dem Gespräch zu erschließen)

Symptom	SF	Beispielfrage und/oder Anmerkungen
26. Neologismen	F	(aus dem Gespräch zu erschließen) Hier kann auch nachgefragt werden, was der Patient damit meint.

4.2.5 Befürchtungen und Zwänge

Allgemeine Vorbemerkungen

Die Symptome dieses Bereiches können gut mit anderen Symptomen gemeinsam exploriert werden:

- 20 „grübeln“ im Zusammenhang mit 30 „Zwangsdenken“,
- 27 „Misstrauen“ im Zusammenhang mit dem Bereich Wahn,
- 29 „Phobien“ im Zusammenhang mit dem Thema Ängstlichkeit allgemein,
- 28 „Hypochondrie“ im Zusammenhang mit dem Bericht von körperlichen Symptomen (vgl. auch somatischer Befund) und ist so lange zu explorieren, bis eine Abgrenzung zum Symptom 44 „Hypochondrischen Wahn“ möglich ist.

Einstiegsfrage

Falls dieser Bereich gesamthaft exploriert werden soll, bietet sich folgende allgemeine Frage als Einleitung an:

> „Ich möchte Sie jetzt noch zu verschiedenen Dingen befragen, über die manche Patienten in einer ähnlichen Situation wie bei Ihnen berichten“.

Es kann dabei auch auf vorherige Äußerungen und Bemerkungen oder auf das offen beobachtbare Verhalten des Patienten Bezug genommen werden.

Symptom	SF	Beispielfrage und/oder Anmerkungen
27. Misstrauen	SF	Dieses Symptom ist z.T. aus dem Verhalten im Gespräch zu erschließen (z.B. Einsilbigkeit oder häufiges Rückfragen). Es kann auch erfragt werden im Zusammenhang mit dem Symptom 92 „sozialer Rückzug“. • „Sind Sie in letzter Zeit irgendwie misstrauisch gegenüber Ihren Mitmenschen?“ (evtl. Beispiele geben: andere reden über einen, beobachten einen) • „Beobachten Sie Dinge in Ihrer Umgebung eher misstrauisch?“ • „Sind Sie eher jemand, der anderen gegenüber misstrauisch ist oder erst einmal zurückhaltend?“
28. Hypochondrie	S	Hinweise hierauf ergeben sich häufig schon über die allgemeine Einstiegsfrage zu Gesprächsbeginn, wenn körperliche Beschwerden stark thematisiert werden. • „Befürchten Sie, ernsthaft krank zu sein?“ • „Achten Sie öfter auf körperliche Missempfindungen?“ • „Machen Sie sich Sorgen um Ihre körperliche Gesundheit?“ • „Haben Sie das Gefühl, dass in (mit) Ihrem Körper irgendetwas nicht in Ordnung ist?“ (Falls ja) „Haben Sie bereits etwas unternommen, um herauszufinden, woran es liegen könnte?“ • „Denken Sie z.Zt. viel über Ihr körperliches Befinden nach?“
29. Phobien	S	Dieses Symptom kann im Zusammenhang mit den Symptomen 65 „ängstlich“ und 92 „sozialer Rückzug“ erfragt werden. • „Kennen Sie Situationen, in denen Sie sich regelmäßig erheblich unwohl fühlen oder sogar in Angst oder Panik geraten?“ (Falls ja) „Versuchen Sie, solche Situationen zu vermeiden?“ (Falls ja) „Geben Sie bitte ein Beispiel.“

Symptom	SF	Beispielfrage und/oder Anmerkungen
		• „Haben Sie (übermäßige) Furcht vor bestimmten Dingen (z. B. Tieren, anderen Menschen, Situationen wie Bus fahren, auf die Straße gehen)?" • „Manchmal berichten Menschen, dass sie Angst vor ganz konkreten Situationen haben wie z. B. einen Aufzug benutzen. Kennen Sie so etwas Ähnliches auch?" (Falls ja) „Können Sie es genauer beschreiben?"
30. Zwangsdenken	S	Dieses Symptom kann im Zusammenhang mit Symptom 20 „grübeln" erfragt werden. Es muss jedoch im Hinblick auf eine Abgrenzung dazu genauer nachgefragt werden. • „Müssen Sie über bestimmte Dinge, die sich wie von selbst aufdrängen, immer wieder nachdenken, obwohl die Ihnen eigentlich unsinnig vorkommen?" (Falls ja) „Können Sie ein Beispiel nennen?" • „Müssen Sie bestimmte Gedanken immer wieder denken, obwohl Sie dies nicht wollen und sich dagegen zur Wehr setzen?" (Falls ja) „Können Sie mir ein Beispiel nennen?" • „Sind das Ihre Gedanken oder kommen die von außen?" Falls es für den Patienten schwer ist, die Frage zu verstehen, können Beispiele vorgegeben werden (z. B. immer wieder daran denken, die Tür abgeschlossen zu haben, den Brief nicht richtig zugeklebt zu haben, den Herd nicht ausgeschaltet zu haben).
31. Zwangsimpulse	S	Dieses Symptom muss im Kontext von Symptom 30 „Zwangsdenken" mit exploriert werden. • „Verspüren Sie immer wieder den Drang, bestimmte Dinge tun zu müssen (z. B. andere zu beleidigen, andere zu verletzen),

Symptom	SF	Beispielfrage und/oder Anmerkungen
		und fürchten Sie sich davor, diese einmal tatsächlich zu tun?“ • „Verspüren Sie den Drang, bestimmte Dinge immer wieder tun zu müssen (z.B. anderen etwas anzutun, etwas Bestimmtes laut zu sagen)?“
32. Zwangshandlungen	S	Dieses Symptom wird bereits oft vom Patienten spontan berichtet, muss jedoch weiter exploriert werden, um zu prüfen, ob die Kriterien des Zwanges wirklich erfüllt sind. • „Müssen Sie bestimmte Dinge immer wieder tun, obwohl Sie sie für unsinnig, übertrieben halten und sich dagegen zur Wehr setzen („quasi unter Zwang“)?“ (Falls ja) „Können Sie ein Beispiel nennen?“ • „Müssen Sie Handlungen immer wieder ausführen (z.B. kontrollieren, ob der Brief wirklich im Briefkasten ist, der Herd aus ist, die Fenster geschlossen sind)?“ (Wenn ja) „Erleben Sie dies als absurd, krankhaft oder quälend?“ • „Versuchen Sie auch, dagegen anzugehen?“ • (Falls ja) „Wie lange brauchen Sie dafür?“ • „Müssen Sie bestimmte Handlungen immer wieder in einer bestimmten Reihenfolge ausführen?“

4.2.6 Wahn

Allgemeine Vorbemerkungen

Hinweise auf das Vorliegen von Wahnerleben ergeben sich u.U. schon bei der Eingangsfrage zum Interview, in der freien Schilderung der Beschwerden oder aus Bemerkungen und dem Verhalten des Patienten im Interview bzw. aufgrund von bestimmten Vorinformationen (z.B. Einweisungsbrief). Auch Angaben Dritter (z.B. Angehörige, Freunde) können hilfreich sein. Dieser Bereich kann evtl. bei Sinnestäuschungen und Ich-Störungen mit erfragt werden.

Es ist zu beachten, dass AMDP zwischen *formalen* und *inhaltlichen* Aspekten des Wahns unterscheidet. Bei Verdacht und Hinweisen auf Wahn sind diese daher auch unbedingt inhaltlich genauer zu erfragen (Symptome 39 bis 46). Bei den Symptomen 42 „Schuldwahn", 43 „Verarmungswahn", 44 „Hypochondrischer Wahn" sowie 45 „Größenwahn" ist so lange zu explorieren, bis eine Abgrenzung zu den entsprechenden Symptomen mit nicht-wahnhafter Qualität möglich ist 73 „Schuldgefühle", 74 „Verarmungsgefühle", 28 „Hypochondrie" und 72 „Gesteigertes Selbstwertgefühl"!

Zur Überprüfung der *subjektiven Gewissheit* und *Nicht-Korrigierbarkeit* der Wahngedanken müssen dem Patienten andere Erklärungsmöglichkeiten angeboten werden. Beispiele:

- Ein Patient ist überzeugt, die Krankenkasse würde seinen Aufenthalt nicht bezahlen. Man könnte ihn damit konfrontieren, dass eine Kostenübernahme vorliegt.
- Ein Patient ist überzeugt, Millionen Euro zu besitzen. Man könnte ihn damit konfrontieren, dass er Geld vom Sozialamt bekommt. (Beispiel: „Sie berichten, dass Sie einige Millionen Euro auf dem Konto haben, bekommen aber hier Ihr Geld vom Sozialamt. Wie kann ich mir das erklären?")
- Auch Nachfragen wie „Sind Sie sich auch ganz sicher?" können wichtige Informationen liefern.

Bei einigen Patienten ergeben sich erst im Verlauf des Gesprächs Hinweise auf wahnhaftes Erleben, auch wenn sich aufgrund der Eingangsfrage zunächst keine Anhaltspunkte ergeben haben. Dann muss der Bereich unbedingt nochmals genauer anhand der einzelnen Fragen überprüft werden.

Einstiegsfrage

„Haben Sie in letzter Zeit Dinge erlebt, die Ihnen merkwürdig vorkamen, die Sie beunruhigten oder die Ihnen gar Angst machten und von denen andere aber meinen, dass es so nicht sein kann?“

„Haben Sie sich in der letzten Zeit Gedanken gemacht, dass irgendwas um Sie herum nicht stimmt?“

Formale Wahnmerkmale

Symptom	SF	Beispielfrage und/oder Anmerkungen
33. Wahnstimmung	S	Dieses Symptom ist insbesondere aus dem Verhalten und den Bemerkungen des Patienten im Gespräch zu erschließen, z. B. durch Andeutungen oder die Vagheit der Umschreibung von Umständen und Situationen. Wahnstimmung tritt im *Vorfeld des Wahns* auf, ein Inhalt ist noch nicht erkennbar. • „Haben Sie das Gefühl, es kommt irgendetwas auf Sie zu, dass alles unheimlich ist, sich etwas zusammenbraut?“ • „Sind Ihnen in letzter Zeit Dinge irgendwie merkwürdig vorgekommen?“ • „Haben Sie das Gefühl, dass irgendetwas in der Luft liegt?“
34. Wahnwahrnehmung	S	Das Merkmal wird oft spontan auf die Einstiegsfragen berichtet, sonst muss jedoch unbedingt nachgefragt werden. • „Haben bestimmte Dinge in Ihrer täglichen Umgebung eine besondere Bedeutung für Sie bekommen?“ (Falls ja, Beispiel geben lassen oder selbst ein Beispiel geben: „Sind z. B. alle Ampeln für Sie auf grün gestellt?“) • „Beobachten Sie, dass Leute Ihnen Hinweise oder Zeichen geben?“ • „Haben Nachrichtensprecher persönlich zu Ihnen gesprochen?“ • „Haben Dinge, die Sie in der Zeitung lesen, eine besondere Bedeutung für Sie?“

Symptom	SF	Beispielfrage und/oder Anmerkungen
35. Wahneinfall	S	Bei Beobachtung von plötzlichem „Einschießen“ von Gedanken muss näher nachgefragt werden. • „Ist Ihnen dieser Gedanke eben gerade gekommen oder kennen Sie ihn schon länger?“
36. Wahngedanken	S	(siehe Einstiegsfrage zu diesem Merkmalsbereich) Es ist genau zu prüfen, ob die Kriterien des Wahns erfüllt sind. Dies kann durch gezieltes Nachfragen und/oder Konfrontieren mit der Realität erfolgen. Folgende Fragen bieten sich z. B. an: • „Könnte es auch anders sein?“ • „Wie erklären Sie sich das?“ • „Gibt es dafür auch eine andere Erklärung?“ • „Sie berichten, dass Sie eine Erbschaft gemacht haben, bekommen aber Geld vom Sozialamt. Wie kann ich mir das erklären?“ • „Warum will man gerade Ihnen etwas Böses antun?“
37. systematisierter Wahn	S	Dem Patienten müssen Möglichkeiten zur Erklärung und zur Inbeziehungsetzung von Wahngedanken gegeben werden. • „Hat das etwas miteinander zu tun?“ • „Glauben Sie, das hängt miteinander zusammen?“ • „Können Sie mir das genauer erklären?“ • „Kann das wirklich so sein?“
38. Wahndynamik	SF	Ist in der Regel aus der aktuellen Präsentation des Wahns heraus zu erschließen, kann jedoch auch in Bezug auf den Beurteilungszeitraum erfragt werden. Zur Bewertung der Wahndynamik ist vor allem auch nach Handlungskonsequenzen bezogen auf die jeweiligen Wahninhalte zu fragen. Beispiel:

Symptom	SF	Beispielfrage und/oder Anmerkungen
		• „Als Sie sich von den fremden Mächten verfolgt gefühlt haben, wie ging es Ihnen dabei? Wie haben Sie sich verhalten? Haben Sie irgendetwas dagegen unternommen?“ • „Wenn Sie fest davon überzeugt sind, körperlich krank zu sein. Haben Sie etwas unternommen, das zu beweisen?“

Inhaltliche Wahnmerkmale

Wenn sich Hinweise auf einen Wahn ergeben (Merkmale 34 bis 38), muss dessen Inhalt spezifiziert werden, d.h. genau exploriert werden. Speziell bei den Merkmalen 40 „Beeinträchtigungs- und Verfolgungswahn“, 41 „Schuldwahn“, 43 „Verarmungswahn“, 44 „Hypochondrischer Wahn“ und 45 „Größenwahn“ ist auf die Abgrenzung zu den inhaltlich ähnlichen Merkmalen der Abschnitte „Befürchtungen und Zwänge“ (27 „Misstrauen“, 28 „Hypochondrie“) sowie „Störungen der Affektivität“ (73 „Schuldgefühle“, 74 „Verarmungsgefühle“, 72 „gesteigertes Selbstwertgefühl“), zu achten, beim Merkmal 41 „Eifersuchtswahn“ zum normalpsychologischen Phänomen der Eifersucht.

Symptom	SF	Beispielfrage und/oder Anmerkungen
39. Beziehungswahn	S	• „Haben in letzter Zeit Dinge in Ihrer Umgebung eine bestimmte Bedeutung für Sie gewonnen?“ • „Haben Sie in letzter Zeit das Gefühl, dass viele Dinge, die um Sie herum passiert sind, etwas mit Ihnen zu tun haben? Waren z.B. Ansagen im Fernsehen für Sie persönlich bestimmt?“ • „Haben Sie auf irgendeinem Wege bestimmte Botschaften bekommen?“

Symptom	SF	Beispielfrage und/oder Anmerkungen
40. Beeinträchtigungs- und Verfolgungswahn	S	• „Meinen Sie, dass bestimmte Menschen etwas gegen Sie haben, Ihnen ans Leder wollen, Ihnen nachstellen?“ • „Haben Sie das Gefühl, dass Ihnen jemand etwas Böses oder Schlechtes will? Ihnen etwas antun will?“ • „Haben andere Personen versucht, Sie zu schikanieren?“ (Falls ja, immer Beispiele nennen lassen.)
41. Eifersuchtswahn	S	• „Haben Sie das Gefühl, Ihr Partner ist Ihnen nicht treu?“ (Falls ja) „Woraus schließen Sie das?“ • „Haben Sie das Gefühl, von Ihrem Partner betrogen oder hintergangen zu werden?“ (begründen lassen)
42. Schuldwahn	S	• „Haben Sie das Gefühl, Schuld auf sich geladen zu haben?“ (Falls ja) „Können Sie mir Beispiele nennen?“ • „Haben Sie das Gefühl, für bestimmte Dinge oder Taten verantwortlich zu sein?“ • „Werfen Sie sich vor, bestimmte Dinge in Ihrem Leben falsch gemacht zu haben?“ (Falls ja) „Können Sie mir Beispiele nennen?“
43. Verarmungswahn	S	• „Wie steht es mit Ihrem Einkommen (Ihrer Rente, Ihrem Verdienst)? Glauben Sie, dass Sie Ihr Auskommen haben?“ (evtl. erläutern: die Krankenkasse bezahlt Ihren Aufenthalt; o. Ä.) • „Reicht Ihr Geld für Essen, Kleidung und die anderen Dinge des täglichen Lebens?“
44. Hypochondrischer Wahn	S	• „Haben Sie das Gefühl, mit Ihrem Körper ist etwas nicht in Ordnung?“ • „Fürchten Sie, an einer Krankheit zu leiden, die die Ärzte noch nicht erkannt haben?“

Symptom	SF	Beispielfrage und/oder Anmerkungen
		• „Können Sie es glauben, dass Sie körperlich gesund sind, wenn Ihnen die Ärzte dies sagen?“
45. Größenwahn	S	• „Haben Sie das Gefühl, über besondere Fähigkeiten zu verfügen?“ • „Haben Sie das Gefühl, große Dinge erreichen zu können (große Macht zu haben)?“ • „Haben Sie z. B. das Gefühl, dass Ihre Eltern nicht Ihre wahren Eltern sind, dass Sie von anderen Menschen abstammen?“ • „Meinen Sie, etwas Besonderes zu sein, über eine bestimmte Begabung zu verfügen?“ • „Glauben Sie ähnlich oder gar Gott, ein Heiliger zu sein?“
46. andere Wahninhalte	S	In diese Rubrik fallen alle bisher nicht explizit aufgeführten Wahninhalte. Hier ist z. B. nach fantastischem oder bizarrem Wahn (z. B. von einem anderen Planeten zu kommen) zu explorieren, wenn sich aus der Untersuchungssituation Hinweise darauf ergeben.

4.2.7 Sinnestäuschungen

Allgemeine Vorbemerkungen

Dieser Bereich sollte eher vorsichtig eingeleitet und exploriert werden und durch den Untersucher nicht gleich zu Beginn des Gesprächs angesprochen werden. Bei Zustimmung auf Fragen ist der Patient grundsätzlich aufzufordern, die Sinnestäuschungen in eigenen Worten zu beschreiben. Vorschnelle Fragen wie „Hören Sie Stimmen?“ sind zu vermeiden. Um sich ein plastisches Bild zu machen, reicht es nicht aus, nur das Vorhandensein von Sinnestäuschungen festzustellen, sondern es ist notwendig, sich auch vom Patienten schildern zu lassen, wie er diese erlebt. Es bietet sich oft an, den Bereich im Kontext von Wahn und Ich-Störungen zu explorieren.

Einstiegsfrage

- „Hat sich in letzter Zeit Ihre Wahrnehmung irgendwie verändert?"
- „Haben Sie in letzter Zeit bestimmte Wahrnehmungen gehabt, die Sie irritiert haben?"
- „Gibt es irgendetwas, was Sie verängstigt oder irritiert?"
- „Wirkt irgendetwas auf Sie ein, was Sie stört, beeinträchtigt oder beunruhigt?"
- „Haben Sie Dinge gesehen, gehört, gespürt, die Ihnen irgendwie merkwürdig vorgekommen sind?"
- „Haben Sie Dinge gesehen, gehört, gespürt, die andere vielleicht nicht wahrnehmen?"

Symptom	SF	Beispielfrage und/oder Anmerkungen
47. Illusionen	S	Hinweise ergeben sich i.d.R. aufgrund der Einstiegsfrage oder aus spontanen Schilderungen in der Interviewsituation und müssen dann genauer erfragt werden (z.B. berichtet der Patient: „Plötzlich verändern sich Bilder vor meinen Augen in grinsende Grimassen.").
48. Stimmenhören	S	Stimmenhören wird zwar oft spontan berichtet, muss jedoch unbedingt erfragt werden, wenn dies nicht der Fall ist. Zudem muss auch exploriert werden, wie sich das Stimmenhören äußert. • „Haben Sie in letzter Zeit Stimmen von Personen gehört, die gar nicht anwesend waren?" (genau schildern lassen: Rede, Gegenrede, Kommentare, Befehle usw.) • „Hören Sie manchmal jemanden sprechen, obwohl niemand im Raum ist?" (Falls ja) „Können andere das auch hören?"

Symptom	SF	Beispielfrage und/oder Anmerkungen
		• „Sind es Männer oder Frauen? Kennen Sie die Stimmen?“ • „Haben Sie Stimmen gehört, die das kommentierten, was Sie gerade machten?“ • „Geben sie Ihnen irgendwelche Befehle?“ (Wenn ja) „Was sollten Sie machen?“ • *Wichtig:* Es ist unbedingt zu klären, ob die Stimmen auch befehlen, sich oder anderen etwas anzutun! („Haben Ihnen vielleicht die Stimmen sogar befohlen, sich etwas anzutun?“) • „Haben Sie Stimmen gehört, die sich untereinander unterhalten haben?“ (Wenn ja) „Was sagten sie?“ • „Sind es vielleicht nur Ihre eigenen Gedanken, die Sie da hören?“
49. andere akustische Halluzinationen	S	Wenn der Patient dies nicht spontan berichtet bzw. wenn sich beim Hören von Stimmen keine Hinweise darauf ergeben haben, muss explizit weiter gefragt werden. • „Gab es vielleicht sonst andere Dinge, die Sie gehört haben, die eigentlich nicht sein können (z. B. Geräusche, Töne)?“
50. optische Halluzinationen	S	Hinweise auf optische Halluzinationen ergeben sich oft durch die Beantwortung der Eingangsfragen, muss jedoch anderenfalls explizit gefragt werden. • „Haben Sie Personen oder Gegenstände gesehen, die andere nicht sehen konnten?“ (Falls ja) „Können Sie mir das genauer beschreiben?“ Evtl. ist es notwendig, auch Beispiele zu nennen (z. B. Lichtblitze an der Wand).
51. Körperhalluzinationen	S	Hinweise auf Körperhalluzinationen ergeben sich oft im Kontext der Frage nach hypochondrischen Befürchtungen bzw. der allgemeinen Frage nach körperlichen Symptomen im Somatischen Befund. Ansonsten muss

Symptom	SF	Beispielfrage und/oder Anmerkungen
		explizit nachgefragt werden. Bei jeder Bejahung einer nachfolgenden Frage muss der Patient aufgefordert werden, eine genaue Beschreibung zu geben. • „Gehen in Ihrem Körper merkwürdige Dinge vor?“ (Falls ja) „Wie merken Sie das?“ (genau beschreiben lassen!) • „Haben Sie das Gefühl, dass an Ihrem Körper irgendetwas Außergewöhnliches verändert ist?“ (genau beschreiben lassen!) Falls der Patient die Fragen nicht versteht, können Beispiele genannt werden, z. B. • „Kennen Sie das Gefühl, plötzlich berührt zu werden?“ • „Oder kennen Sie das Gefühl, dass eine kühle Hand über Ihre Haut streicht?“ • „Spüren Sie elektrischen Strom durch Ihren Körper fließen?“ • „Manche Menschen spüren ihr Gehirn, wie es sich dreht oder hin und her wappt. Kennen Sie so etwas auch?“
52. Geruchs- und Geschmackshalluzinationen	S	Falls sich aus den Eingangsfragen keine Hinweise ergeben, sollte dennoch nachgefragt werden. • „Haben Sie in letzter Zeit merkwürdige Gerüche bemerkt? Oder haben Sie Dinge geschmeckt, die irgendwie nicht sein konnten?“ (genau beschreiben lassen!)

4.2.8 Ich-Störungen

Allgemeine Vorbemerkungen

Berichtet der Patient selbst von derartigen Erlebnissen, so sollte man vorsichtig, aber gezielt weiterfragen und ihn um genauere Beschreibungen bitten. Es ist für den Patienten hilfreich, wenn man ihm mit vergleichenden Bemerkungen zu wirklich möglichen Erlebnissen zu Hilfe kommt, um das Abnorme etwas abzuschwächen (z. B. „Manchmal berichten Menschen darüber, dass ..."). Solche oder ähnliche Redewendungen erleichtern ihm die Fortsetzung seiner Erklärungen, und mögliche Zwischenfragen zur Präzisierung verlieren an Schärfe.

Bei der Erstuntersuchung kann die Erfassung von Ich-Störungen Schwierigkeiten bereiten, wenn der Patient nicht spontan darüber berichtet, da Misstrauen oder Ängstlichkeit ihn verunsichern und Zweifel an den Erlebnissen eine große Rolle spielen. Deshalb empfiehlt es sich, auch bei Negierung der Einstiegsfrage die spezifischen Fragen zu den einzelnen Symptomen zu stellen, wenn sich auch nur ein Verdacht auf das Vorliegen von Ich-Störungen ergibt (z. B. Patient berichtet über verändertes Erleben). Es bietet sich oft an, den Bereich im Kontext von Wahn und Sinnestäuschungen zu explorieren.

Einstiegsfrage

- „Haben Sie vielleicht in letzter Zeit beobachtet, dass Sie oder Ihre Umgebung sich verändert haben?"
- „Ich möchte jetzt mit Ihnen darüber reden, ob sich in Ihrem Erleben oder um Sie herum irgendetwas verändert hat." (Falls ja) „In welcher Weise? Können Sie mir das näher beschreiben?"
- „Haben Sie das Gefühl, dass alles um Sie herum irgendwie wie in einem Traum ist?"
- „Fühlen Sie sich von anderen Menschen wie abgeschirmt?"
- „Haben Sie das Gefühl, von anderen irgendwie beeinflusst, manipuliert zu werden?"
- „Haben Sie den Eindruck, dass sich irgendetwas mit Ihren Gedanken verändert hat? Zum Beispiel, dass Ihre Gedanken von anderen beeinflusst werden?"
- „Glauben Sie, jemand manipuliert Ihr Denken?"

Symptom	SF	Beispielfrage und/oder Anmerkungen
53. Derealisation	S	Derealisationserleben wird oft nicht spontan genannt, muss daher explizit erfragt werden. • „Kommt Ihnen die sonst vertraute Umgebung in letzter Zeit irgendwie verändert oder fremd vor? • Haben sich Ihre Sinneseindrücke verändert? • Sehen Sie z.B. Farben anders, hören Sie Musik leiser, schmeckt das Essen fade (wie Pappe)?“
54. Depersonalisation	S	Hinweise können sich bereits aus der Schilderung allgemeiner körperliche Phänomene ergeben, muss anderenfalls jedoch genau exploriert werden. Beispiele sind hilfreich, dem Patienten die inhaltliche Bedeutung des Merkmals zu verdeutlichen. • „Kommen Sie sich irgendwie fremd, verändert vor?“ (Wenn ja) „Können Sie mir das näher beschreiben?“ • „Fühlen Sie sich selbst irgendwie körperlich verändert?“ • „Manchmal berichten Menschen, dass sie sich wie eine Hülle erleben oder sich wie von außen beobachten.“ (Wenn ja) „Können Sie mir das näher beschreiben?“
55. Gedankenausbreitung	S	Das Symptom lässt sich oft im Kontext der Symptome aus dem Bereich der „Formalen Denkstörungen“ mit explorieren bzw. aus der Exploration der formalen Denkstörungen ergeben sich Hinweise auf Gedankenausbreitung. • „Glauben Sie, andere kennen Ihre Gedanken, können wissen, was Sie gerade denken?“ (Falls ja) „Geben Sie mir ein Beispiel dafür.“

Symptom	SF	Beispielfrage und/oder Anmerkungen
		• „Glauben Sie, dass andere Personen irgendwie Ihre Gedanken lesen können?“ (Falls ja) „Können Sie mir das näher beschreiben?“
56. Gedankenentzug	S	Das Symptom kann im Zusammenhang mit dem Symptom 24 „gesperrt/Gedankenabreißen“ exploriert werden. • „Haben Sie den Eindruck, andere können Ihnen Ihre Gedanken wegnehmen?“
57. Gedankeneingebung	S	Das Symptom kann im Zusammenhang und in Angrenzung zum Symptom 21 „Gedankendrängen“ exploriert werden. • „Haben Sie manchmal das Gefühl, Gedanken zu denken, die gar nicht von Ihnen stammen, die man Ihnen sozusagen gemacht hat?“ • „Haben Sie manchmal den Eindruck, dass bestimmte Gedanken nicht Ihre eigenen sind?“ • „Haben Sie das Gefühl, Ihre Gedanken werden von anderen (z. B. außenstehenden Mächten oder Personen) beeinflusst oder gelenkt?“ (Falls ja, genau schildern lassen)
58. andere Fremdbeeinflussungserlebnisse	S	In diese Rubrik fallen alle bisher noch nicht genannten Beeinflussungen durch andere Menschen oder Mächte. • „Manche Menschen haben gelegentlich das Gefühl, hypnotisiert zu werden, gleichsam ferngesteuert zu sein. Kennen Sie ein solches Gefühl auch?“ (Falls ja) „Können Sie mir dies bitte etwas genauer beschreiben?“ • „Haben Sie sonst irgendwie das Gefühl, von anderen gesteuert oder beeinflusst zu werden?“ (Beispiel nennen, z. B. bestrahlt oder hypnotisiert zu werden)

4.2.9 Störungen der Affektivität

Allgemeine Vorbemerkungen

Dieser Merkmalsbereich muss sowohl durch gezieltes Fragen als auch durch Verhaltensbeobachtung während des Interviews beurteilt werden. Über diesen Merkmalsbereich bietet sich oft auch ein Einstieg in das Gespräch an.

Einstiegsfrage

„Können Sie mir berichten, wie es Ihnen in den letzten 3 bis 4 Tagen/in der letzten Woche von der Stimmung und vom Befinden her ging?“

Symptom	SF	Beispielfrage und/oder Anmerkungen
59. ratlos	F	(aus dem Gespräch zu erschließen) Dieses Symptom ist vor allem aus dem Verhalten (speziell Mimik) zu schließen. Der Patient schaut sich z. B. hilflos und irritiert im Zimmer um, schaut fragend aus dem Fenster. Ratlosigkeit kann sich auch sprachlich äußern in Aussagen wie • „Was ist los?“ • „Wo bin ich hier?“ • „Was ist geschehen?“
60. Gefühl der Gefühllosigkeit	S	Der Patient sollte zunächst ermutigt werden, selbst seine Gefühle zu beschreiben. Wenn dies Mühe macht, ist explizit nachzufragen. Evtl. ist es notwendig, Beispielsituationen zu nennen. • „Können Sie sich z. B. freuen, wenn Besuch kommt?“ • Hat sich irgendetwas in Ihrem Gefühlsleben verändert?“ (Wenn ja) „Können Sie mir das näher beschreiben? Wie kann ich mir das vorstellen?“

Symptom	SF	Beispielfrage und/oder Anmerkungen
		• „Können Sie die Vielzahl der unterschiedlichen Gefühle von großer Freude über Ärger bis Trauer im Augenblick spüren?“ (Falls nein „Können Sie dies genauer beschreiben?“) • „Können Sie traurig sein oder sich freuen? Oder fühlen Sie sich eher innerlich wie leer?“ • „Können Sie Gefühle für andere empfinden, lachen oder weinen?“ • „Haben Sie den Eindruck, dass Ihre Gefühle wie abgestorben oder versteinert sind (innerlich leer, tot, starr)?“ • „Können Sie weinen, wenn Sie traurig sind?“
61. affektarm	F	(aus dem Gespräch zu erschließen)
62. Störung der Vitalgefühle	S	Dieses Symptom bietet sich oft als Einstieg in den Bereich körperlicher Beschwerden an. • „Wie fühlen Sie sich insgesamt körperlich?“ (Wichtig: möglichst genau beschreiben lassen) • „Haben Sie das Gefühl, dass Ihre Lebendigkeit, Ihre Frische sich verringert haben? Fühlen Sie sich eher kraftlos, schlapp, matt oder müde?“ • „Fühlen Sie sich körperlich fit wie sonst oder wie würden Sie es mit eigenen Worten beschreiben?“
63. deprimiert	SF	Dieses Symptom wird oft vom Patienten initial berichtet, ist aber auch aus Mimik und Gestik erschließbar, muss jedoch in jedem Fall angesprochen werden. • „Wie fühlen Sie sich im Augenblick von der Stimmung her?“ • „Wie würden Sie Ihre augenblickliche Stimmung beschreiben?“ • „Sind Sie traurig?“ • „Fühlen Sie sich niedergeschlagen?“

Symptom	SF	Beispielfrage und/oder Anmerkungen
64. hoffnungslos	S	Dieses Merkmal lässt sich oft im Zusammenhang mit Merkmal 63 „deprimiert" explorieren. • „Mit welchem Gefühl sehen Sie in die Zukunft?" • „Können Sie sich vorstellen, dass alles wieder gut wird?" • „Wenn Sie in die Zukunft schauen, was meinen Sie, wird es wieder aufwärts gehen mit Ihnen?"
65. ängstlich	SF	Dieses Symptom kann im Zusammenhang mit Merkmal 29 „Phobien" exploriert werden. • „Kennen Sie in letzter Zeit Gefühle von Angst oder Ängstlichkeit?" • „Ängstigen Sie sich im Augenblick mehr als üblich?" (Falls ja) „Geben Sie bitte ein Beispiel." • „Gab es in den letzten Tagen Gefühle von Ängstlichkeit?" (Falls ja, genau schildern lassen und auch nach spezifischen auslösenden Situationen im Hinblick auf Phobien fragen). • „Haben Sie Angst, weil Sie erwarten, dass etwas Schlimmes passieren könnte?"
66. euphorisch	SF	Dieses Symptom ist gut zu beobachten und kann im Zusammenhang mit Symptom 72 „gesteigertes Selbstwertgefühl" exploriert werden. Wenn sich Hinweise ergeben, genauer nachfragen. • „Fühlen Sie sich z. Zt. besonders froh, gut gestimmt, fast euphorisch?" • „Wie ist Ihre Stimmung? Sind Sie z. Zt. besonders gut gelaunt?" • „Ich habe das Gefühl, Sie sind im Augenblick besonders gut gestimmt. Ist das richtig?"
67. dysphorisch	SF	Dieses Symptom ist vor allem zu beobachten. Es sollte jedoch auch nachgefragt werden.

Symptom	SF	Beispielfrage und/oder Anmerkungen
		• „Ich erlebe Sie im Augenblick etwas verstimmt und missmutig, ist das richtig so?“ • „Sind Sie im Augenblick/in letzter Zeit irgendwie schlecht gelaunt?“
68. gereizt	SF	Dieses Symptom ist hauptsächlich zu beobachten. Es sollte jedoch auch nachgefragt werden. • „Ich spüre im Augenblick eine gewisse Gereiztheit bei Ihnen. Stimmt das?“ • „Haben Sie in der letzten Zeit bemerkt, dass Sie bestimmte Dinge schnell nerven, Sie leicht in die Luft (an die Decke) gehen?“ • „Haben Sie in der letzten Zeit bemerkt, dass Sie leicht gereizt sind?“
69. innerlich unruhig	S	Kann im Zusammenhang mit Symptom 83 „motorisch unruhig“ exploriert werden. • „Können Sie mir beschreiben, wie es in Ihrem Inneren aussieht?“ • „Fühlen Sie sich innerlich aufgewühlt?“ • „Spüren Sie eine innere Spannung oder Unruhe?“
70. klagsam/ jammerig	F	(aus dem Gespräch zu erschließen)
71. Insuffizienz-gefühle	S	Hinweise auf Insuffizienzgefühle ergeben sich oft bereits aus dem Gespräch, müssen dann jedoch genauer exploriert werden. • „Wie sieht es im Augenblick mit Ihrem Selbstvertrauen, Selbstbewusstsein aus?“ • „Trauen Sie sich weniger zu als sonst?“ • „Hat Ihr Leistungsvermögen nachgelassen? Gelingen Ihnen Dinge heute nicht mehr so wie früher?“ (Wenn ja, Beispiele nennen lassen) • „Glauben Sie manchmal, dass Sie weniger wert sind als andere Menschen?“ • „Wie schätzen Sie selbst Ihre Leistungsfähigkeit ein?“

Symptom	SF	Beispielfrage und/oder Anmerkungen
72. gesteigertes Selbstwertgefühl	S	Kann bei Symptom 66 „euphorisch" mit exploriert werden. • „Trauen Sie sich im Augenblick besonders viel zu?" • „Fühlen Sie sich besonders stark und leistungsfähig?" • „Sind Sie selbstbewusster geworden?" • „Haben Sie besondere Pläne, nehmen sich viel vor?"
73. Schuldgefühle	S	Dieses Symptom kann im Zusammenhang mit Symptom 20 „grübeln" oder 63 „deprimiert" exploriert werden. • „Gibt es etwas, was Sie sich vorwerfen?" • „Machen Sie sich Gedanken darüber, etwas falsch gemacht zu haben?" • „Manchmal fühlen sich Patienten im Zusammenhang mit bestimmten Ereignissen oder Begebenheiten schuldig (verantwortlich), auch wenn diese viele Jahre zurückliegen. Haben Sie z.Zt. derartige Gefühle oder werfen Sie sich ganz bestimmte Dinge vor? Haben Sie Gewissensbisse?" (Falls ja) „Wie sehen diese aus?", „Worum geht es dabei?" • „Werfen Sie sich Dinge vor, die Sie falsch gemacht haben, wo Sie versagt haben?" • „Fühlen Sie sich für bestimmte Taten, Dinge oder Gedanken verantwortlich?" (z.B. andere enttäuscht zu haben). • „Sind Sie besonders kritisch mit sich selbst?"
74. Verarmungsgefühle	S	Das Symptom wird oft nicht spontan berichtet, sollte daher erfragt werden. • „Fürchten Sie, nicht genug Geld für den Lebensunterhalt zu haben?" • „Ist Ihre Rente (Verdienst, Einkommen) ausreichend?"

Symptom	SF	Beispielfrage und/oder Anmerkungen
75. ambivalent	SF	Dieses Symptom wird oft nicht spontan berichtet und muss daher erfragt werden: • „Kommt es vor, dass Sie manchmal ganz gegensätzliche Gedanken oder Gefühle gleichzeitig denken oder fühlen müssen?" (Falls ja, Beispiele nennen lassen). • „Erleben Sie verschiedene Gefühle gleichzeitig in sich?" (Evtl. Beispiel nennen: Jemanden gleichzeitig lieben und hassen). • „Haben Sie schon einmal bemerkt, dass Sie mit einer Bewegung beginnen und diese dann plötzlich abbrechen?" (Ambitendenz) • „Kommt es vor, dass Sie mit einer Bewegung oder Handlung beginnen und gleich wieder damit aufhören, kurz darauf vielleicht erneut damit beginnen?" (Ambitendenz) • „Haben Sie schon einmal bemerkt, dass Sie eine Handlung beginnen und plötzlich wieder unterbrechen, als wäre sie blockiert, als wären Sie hin- und hergerissen?" (Ambitendenz)
76. Parathymie	F	(aus dem Gespräch zu erschließen)
77. affektlabil	SF	Falls beobachtet, auch gezielt weiter nachfragen. • „Haben Sie bemerkt, dass sich Ihre Stimmung manchmal von einem Augenblick zum anderen verändert?" • „Haben Sie erlebt, dass Ihre Stimmung sehr rasch hin- und herschwankt und dass Sie sich gar nicht dagegen wehren können?" • „Fühlen Sie sich leicht verletzt und von Dingen betroffen?" • „Müssen Sie in letzter Zeit bei Anlässen weinen, bei denen das sonst nicht der Fall war?" (evtl. Beispiele geben wie Spielfilme sehen, Abspielen der Nationalhymne)

Symptom	SF	Beispielfrage und/oder Anmerkungen
		Bei Verdacht bestimmte auslösende Situationen oder Themen (sog. „Trigger“) mehrfach gezielt ansprechen.
78. affekt-inkontinent	SF	Ist meist im Gespräch nicht direkt zu beobachten, sollte daher exploriert werden. • „Haben Sie bemerkt, bestimmte Gefühle manchmal gar nicht richtig kontrollieren zu können? Dass Sie z. B. gar nicht mehr aufhören können zu weinen. Von Ihren Gefühlen ganz überwältigt werden?“
79. affektstarr	F	(aus dem Gespräch zu erschließen)

4.2.10 Antriebs- und psychomotorische Störungen

Allgemeine Vorbemerkungen

Dieser Bereich ist meist schon durch die genaue Verhaltensbeobachtung oder durch die Schilderung des Patienten zu beurteilen sowie dann mit gezielten Fragen weiter zu überprüfen.

Manchmal ist es notwendig, ergänzend fremdanamnestische Informationen vom Pflegepersonal und von Angehörigen einzuholen. Durch die Beobachtung des Patienten in Alltagssituationen können sie für die Beurteilung der Symptome dieses Merkmalsbereichs wichtige Informationen liefern.

Einstiegsfrage

- „Ich möchte jetzt mit Ihnen darüber sprechen, wie es mit Ihrer Energie und Initiative bestellt ist, bestimmte Dinge zu tun. Wie sieht es im Augenblick mit Ihren Aktivitäten während des Tages aus?“
- „Können Sie mir bitte einmal einen normalen Tagesablauf von sich beschreiben? Was machen Sie so alles?“

Symptom	SF	Beispielfrage und/oder Anmerkungen
80. antriebsarm	SF	Kann durch den Untersucher oder Dritte beobachtet werden, muss jedoch unbedingt durch die Angaben des Patienten ergänzt werden. • „Wie sieht Ihr normaler Tagesablauf aus?" • „Können Sie mir einmal einen normalen (gewöhnlichen) Tagesablauf schildern?" • „Wie steht es mit Ihrem Schwung, Ihrer Tatkraft, Ihrem Unternehmungsgeist?" (alternativ: Elan) • „Womit haben Sie in den letzten Tagen Ihre Zeit verbracht?" • „Sind Sie in gewohnter Weise aktiv?"
81. antriebsgehemmt	S	Auch wenn sich keine Hinweise auf Merkmal 80 „antriebsarm" ergeben, muss auch das subjektive Erleben unbedingt erfragt werden. • „Haben Sie Schwierigkeiten, sich zu etwas durchzuringen, sich aufzuraffen?" • „Wenn Sie etwas unternehmen (machen) wollen, macht es dann Probleme, sich aufzuraffen?" • „Fühlen Sie sich in Ihrer Tatkraft irgendwie gebremst, als wenn wie beim Auto die Handbremse angezogen ist?" • „Brauchen Sie für alles mehr Kraft als üblich, als ob Sie gegen einen Widerstand ankämpfen müssen?" • „Gehen Ihnen z. Zt. alltägliche Dinge schwerer von der Hand?"
82. antriebsgesteigert	SF	Dieses Symptom kann auch im Zusammenhang mit Merkmal 93 „soziale Umtriebigkeit" exploriert werden. • „Sind Sie z. Zt. aktiver als gewöhnlich, besonders unternehmungslustig?" • „Unternehmen Sie mehr Dinge als sonst?"

Symptom	SF	Beispielfrage und/oder Anmerkungen
83. motorisch unruhig	SF	Berichtet der Patient das Symptom 69 „innerlich unruhig", muss weiter exploriert werden, ob sich dies auch auf der Verhaltensebene zeigt. Dieses Symptom kann oft während des Gesprächs beobachtet werden. Ist dies nicht der Fall, muss auch hier unbedingt nachgefragt werden. • „Fällt es Ihnen schwer, auf einem Platz ruhig zu sitzen?" • „Müssen Sie öfter auf- und ablaufen, weil Sie so unruhig sind?" • „Fällt es Ihnen manchmal schwer, ruhig im Bett liegen zu blieben?" • „Haben andere Ihnen schon einmal gesagt, dass Sie etwas zappelig sind?"
84. Parakinesen	F	(aus dem Gespräch zu erschließen)
85. manieriert/bizarr	F	(aus dem Gespräch zu erschließen)
86. theatralisch	F	(aus dem Gespräch zu erschließen)
87. mutistisch	F	(aus dem Gespräch zu erschließen)
88. logorrhoisch	F	(aus dem Gespräch zu erschließen)

4.2.11 Circadiane Besonderheiten

Allgemeine Vorbemerkungen

Dieser Fragenkomplex kann im Zusammenhang mit Stimmung und Antrieb oder ggf. im Zusammenhang mit berichteten Schlafstörungen erfragt werden.

Einstiegsfrage

- „Manche Menschen fühlen sich regelmäßig zu bestimmten Tageszeiten – morgens oder abends – besser bzw. schlechter. Kennen Sie solche regelmäßigen Veränderungen der Befindlichkeit auch?“
- „Gibt es Tageszeiten, an denen Sie sich besonders schlecht oder gut fühlen?“
- „Sie haben mir vorher darüber berichtet, wie Ihre momentane Stimmung ist. Ist dieser Zustand morgens und abends immer gleich oder ändert sich dieser über den Tag hinweg (im Laufe des Tages) irgendwie?“

Symptom	SF	Beispielfrage und/oder Anmerkungen
89. morgens schlechter	SF	• „Fühlen Sie sich morgens schlechter als abends?“
90. abends schlechter	SF	• „Geht es Ihnen eher abends schlechter im Vergleich zum Morgen?“
91. abends besser	SF	• „Oder geht es Ihnen eher abends besser?“

4.2.12 Andere Störungen

Allgemeine Vorbemerkungen

Dieser Bereich ist als eine Restkategorie von sehr unterschiedlichen Merkmalen anzusehen und sollte sinnvollerweise erst am Ende des Gesprächs erfragt werden, falls die Symptome nicht bereits im Laufe des Gesprächs abgeklärt werden konnten. Einige Symptome lassen sich jedoch sehr gut im Kontext anderer Symptome mit erfragen (z.B. Symptom 95 „Suizidalität“ im Zusammenhang mit den Symptomen 63 „deprimiert“, 64 „hoffnungslos“, Symptom 94 „Aggressivität“ mit 86 „gereizt“, Symptom 92 „sozialer Rückzug“ mit 80 „antriebsarm“, Symptom 93 „soziale Umtriebigkeit“ mit 82 „antriebsgesteigert“).

Einstiegsfrage

„Ich möchte Sie jetzt noch einige Dinge fragen, die wir bisher noch nicht besprochen haben.“

Symptom	SF	Beispielfrage und/oder Anmerkungen
92. sozialer Rückzug	SF	Wird am besten bei Abklärung des Antriebs mit überprüft. • „Treffen Sie sich noch genauso oft wie üblich mit Ihren Freunden?“ • „Suchen oder vermeiden Sie z. Zt. die Gesellschaft anderer häufiger als gewöhnlich?“ • „Können Sie mir berichten, wie z. Zt. Ihre Kontakte zu anderen Menschen sind?“ (evtl. erläutern: eher zurückgezogen oder mehr Kontakt als normalerweise?)
93. soziale Umtriebigkeit	SF	Wird am besten bei Abklärung des Antriebs mit überprüft. • „Unternehmen Sie in letzter Zeit häufiger als üblich etwas mit anderen Menschen?“ (Falls ja) „Können Sie es mir bitte näher beschreiben?“ Bei Beobachtung von euphorischem und logorrhoischem Verhalten kann sich die Frage zu diesem Symptom anschließen. • „Ich könnte mir vorstellen, dass Sie z.Zt. eher häufig mit Freunden/Bekannten zusammentreffen, mehr Kontakt zu anderen Menschen haben. Kann das sein?“ (Beispiele nennen lassen)
94. Aggressivität	SF	Kann durch den Untersucher oder Dritte beobachtet werden, muss jedoch unbedingt durch die Angaben des Patienten ergänzt werden. • „Sind Sie in letzter Zeit häufig in Streit mit anderen Menschen geraten? Haben Sie

Symptom	SF	Beispielfrage und/oder Anmerkungen
		mehr geschimpft, was sonst nicht Ihre Art ist?" • „Sind Sie manchmal sogar wegen Kleinigkeiten mit anderen aneinander geraten?" • „Haben Sie das Gefühl, dass Sie aggressiver als sonst sind?"
95. Suizidalität	SF	Wird am besten bei Abklärung der Stimmung (z. B. Merkmal 63 „deprimiert") mit exploriert. • „Kennen Sie solche Gedanken wie, dass das Leben nicht mehr lebenswert ist, dass es besser wäre, tot zu sein?" • „Denken Sie in Ihrer jetzigen Situation daran, ‚Schluss zu machen', sich etwas anzutun?" • „Haben Sie gelegentlich einfach den Wunsch, nicht mehr da zu sein?" • „Denken Sie oft an den Tod?" • „Haben Sie in den letzten Tagen den Gedanken gehabt, es wäre auch gut, einfach nicht mehr aufzuwachen?" • „Haben Sie sich in letzter Zeit konkret mit dem Gedanken beschäftigt, sich das Leben zu nehmen?" • „Haben Sie in der letzten Zeit bemerkt, dass Sie leichter gereizt sind?"
96. Selbstbeschädigung	SF	Kann u. U. bereits durch den Untersucher oder Dritte beobachtet werden (z. B. Schnittverletzungen am Arm), muss jedoch unbedingt durch die Angaben des Patienten ergänzt werden. • „Haben Sie sich in letzter Zeit irgendwie selbstverletzt?" • „Haben Sie sich in letzter Zeit irgendwelche Verletzungen selbst zugefügt?" • „Haben Sie sich in letzter Zeit absichtlich geschnitten?"

Symptom	SF	Beispielfrage und/oder Anmerkungen
97. Mangel an Krankheitsgefühl	S	Es bietet sich an, dieses und die nachfolgenden beiden Merkmale am Ende des Gesprächs zu erfragen, falls das Merkmal nicht bereits aus dem Verlauf des Interviews heraus zu beurteilen ist. • „Fühlen Sie sich im Augenblick krank?“ • „Meinen (glauben) Sie, dass Sie krank sind?“
98. Mangel an Krankheitseinsicht	S	Hinweise ergeben sich oft schon im Gespräch, muss jedoch unbedingt auch direkt angesprochen werden. • „Meinen Sie, dass alles, worüber wir bisher gesprochen haben, etwas mit Krankheit zu tun hat – eine psychische Krankheit ist?“ • „Ihre Beschwerden, die Sie mir geschildert haben, könnten diese Zeichen einer psychischen (seelischen) Erkrankung sein?“ • „Oder haben Sie eine andere Erklärung dafür?“
99. Ablehnung der Behandlung	SF	Kann durch den Untersucher oder Dritte eingeschätzt werden, muss jedoch unbedingt durch die Angaben des Patienten ergänzt werden. Beim *Erstinterview*: • „Wir glauben, dass Sie krank sind und behandelt werden müssen. Was meinen Sie, können Sie sich auf eine Behandlung einlassen?“ Beim *Wiederholungsinterview*: • „Meinen Sie, dass es richtig ist, dass Sie auch weiterhin behandelt werden müssen?“ • „Sie sind jetzt seit einigen Wochen bei uns in Behandlung. Meinen Sie, dass eine Behandlung gut (richtig) für Sie ist?“

Symptom	SF	Beispielfrage und/oder Anmerkungen
100. pflege-bedürftig	SF	Hier kommt es auch auf die Berichte von Angehörigen bzw. dem Pflegepersonal an (z. B. behaupten Menschen mit einer Demenz oft, alles zu können, obwohl dies objektiv nicht der Fall ist). • „Benötigen Sie zur Bewältigung alltäglicher Anforderungen (z. B. sich waschen, anziehen) Hilfe von anderen?“ • „Müssen andere Ihnen helfen, um mit dem täglichen Leben fertig zu werden (z. B. sich anzuziehen)?“

4.2.13 Somatischer Befund

Allgemeine Vorbemerkungen

Beim Somatischen Befund muss der Untersucher selbst entscheiden, welche Symptome erfragt werden sollen. Ist eine Weiterverwendung der Befunde auf Syndromebene vorgesehen, so sind zumindest diejenigen Symptome zu erfragen, die in diesen Syndromen enthalten sind, d. h. beim depressiven und vegetativen Syndrom; vgl. Kapitel 3.4 sowie Anhang A, S. 129), gleiches gilt auch für die Nutzung für diagnostische Zwecke im Hinblick auf ICD-10/-11 (vgl. auch Kapitel 3.1).

Wenn man an einer genauen Erfassung interessiert ist, hat es sich bewährt, dem Patienten Hilfestellungen zu geben, indem man einzelne Körperregionen anspricht (beginnend am Kopf, über Rücken, Herz, Magen, bis zu den Füßen).

Wichtig

Die Erhebung der Symptome dieses Bereiches entbindet den Arzt selbstverständlich nicht von einer eingehenden körperlichen Untersuchung!

Einstiegsfrage

- „Wir haben bisher über Ihre psychischen (seelischen) Probleme und Beschwerden gesprochen, gibt es auch körperliche Beschwerden?"
- „Haben Sie zurzeit irgendwelche körperlichen Beschwerden?"
- „Neben dem Gefühl einer schlechten Stimmung (o. Ä.) berichten Patienten häufig auch über körperliche Beschwerden. Haben Sie solche auch?" (Wenn ja) „Welche?"

Im Anschluss an diese Fragen den Patienten zunächst berichten lassen, um dann gezielter die einzelnen Bereiche abzufragen.

Im Folgenden sind nur Beispielfragen für diejenigen Symptome aufgeführt, die für die *Syndrom- oder Skalenbildung* bedeutsam sind. Fragen zu den anderen Symptomen des Somatischen Befundes sind i. d. R. einfach selbst zu formulieren.

Symptom	SF	Beispielfrage und/oder Anmerkungen
Schlaf- und Vigilanzstörungen		• „Können Sie mir näher beschreiben, wie es im Augenblick mit Ihrem Schlaf klappt?" Im Anschluss daran gezielter nachfragen (Einschlafen, Durchschlafen, Verkürzung der Schlafdauer, Früherwachen)
	S	• „Wann sind Sie in letzter Zeit immer ins Bett gegangen?" „Konnten Sie dann gleich einschlafen?" (Wenn ja) „Wie lange haben Sie so wach gelegen?" (Symptom 101 „Einschlafstörungen")
	S	• „Nachdem Sie eingeschlafen sind, konnten Sie durchschlafen oder sind Sie zwischendurch wieder aufgewacht?" (Symptom 102 „Durchschlafstörungen")
	S	• „Schlafen Sie z.Zt. weniger als sonst?" (Symptom 103 „Verkürzung der Schlafdauer")

Symptom	SF	Beispielfrage und/oder Anmerkungen
	S	• „Wann wachen Sie gegen Morgen auf?" „Ist das früher als sonst?" „Können Sie dann noch einmal wieder einschlafen?" (Symptom 104 „Früherwachen")
Appetenzstörungen	S	• „Wie steht es im Augenblick mit Ihrem Appetit? Können Sie mit Freude essen, trinken?" (Symptom 106 „Appetit vermindert")
Gastrointestinale Störungen	S	• „Haben Sie in den letzten Tagen das Gefühl von Übelkeit bei sich beobachtet?" (Symptom 112 „Übelkeit")
Kardiorespiratorische Störungen	SF	• „Haben Sie in den letzten Tagen Beschwerden beim Atmen beobachtet? Zum Beispiel das Gefühl erlebt, nicht richtig durchatmen zu können oder sogar Erstickungsgefühle erlebt?" (Symptom 117 „Atembeschwerden")
	SF	• „War Ihnen in den letzten Tagen manchmal schwindelig?" (Falls ja) „In welchen Situationen war dies?" (Symptom 118 „Schwindel")
	S	• „Spüren Sie manchmal Ihr Herz besonders stark?" (Falls ja) „Können Sie das genauer beschreiben?" „Gab es in letzter Zeit irgendwelche Probleme mit dem Herzen?" (Symptom 119 „Herzklopfen")
andere vegetative Störungen	S	• „Haben Sie in den letzten Tagen mehr als sonst geschwitzt?" (Falls ja) „In welchen Situationen war das?" (Symptom 122 „Schwitzen vermehrt")
Weitere Störungen	S	• „Haben Sie gegenwärtig irgendwelche Beschwerden im Kopfbereich?" (Falls ja) „Können Sie diese näher beschreiben?" (Symptom 126 „Kopfdruck")
	S	• „Oder gab es manchmal (auch) Gefühle von aufsteigender Hitze oder Hitzewallungen?" (Symptom 129 „Hitzegefühl")

4.2.14 Zusatzmerkmale

Die Zusatzmerkmale des Psychischen Befundes (sog. ZP-Merkmale) wurden, um die traditionelle AMDP-Struktur nicht zu verändern, nicht den einzelnen Merkmalsbereichen zugeordnet, obwohl dies z. T. möglich wäre (z. B. ZP1 „Angstanfälle" bei Befürchtungen und Zwänge). Sie werden nachfolgend mit Beispielfragen vorgestellt.

Psychischer Befund

Symptom	SF	Beispielfrage und/oder Anmerkungen
ZP1 Angstanfälle	SF	Kann im Zusammenhang mit Merkmal 65 „ängstlich" erfragt werden. • „Hatten Sie in der letzten Zeit plötzlich auftretende Angstzustände?" • „Kennen Sie die Situation, dass Sie plötzlich von großer Angst erfasst werden, die Sie nur schwer oder gar nicht beherrschen können?" • „Geraten Sie manchmal sogar in Panik?" Falls ja: • „Können Sie dies etwas genauer beschreiben?" • „Bei manchen Menschen kommen derartige Zustände wie aus heiterem Himmel, bei manchen sind es ganz bestimmte Situationen, die zu solcher Angst/zu solchen Panikzuständen führen. Wie ist es bei Ihnen?" • „Wie äußert sich bei Ihnen diese Angst?" • „Woran merken Sie, jetzt ist die Angst da?" • „Wann hatten Sie solch einen Zustand zuletzt?" • „Wie häufig treten sie bei Ihnen auf?" • „Was tun Sie dagegen?" • „Spürten Sie dabei auch körperliche Symptome?"

Symptom	SF	Beispielfrage und/oder Anmerkungen
ZP2 beschleunigtes Denken	S	Kann im Zusammenhang mit formalen Denkstörungen erfragt werden. • „Haben Sie den Eindruck, das Gefühl, dass Ihre Gedanken schneller gehen (laufen) als sonst?“ • „Erleben Sie es gelegentlich, dass Sie plötzlich viel schneller denken als üblich?“ • „Passiert es manchmal, dass Ihre Gedanken schneller ablaufen, ja fast rasen?“ Falls ja: • „Wie bemerken Sie diese Beschleunigung? Ist es lästig oder behindert es Sie bei Ihrem Tun? Oder ist es vielleicht sogar angenehm, besser als sonst?“ • „Wie häufig haben Sie so etwas erlebt? Wann zuletzt?“ • „Sprechen Sie dann auch schneller?“
ZP3 Beziehungsideen	S	Kann im Zusammenhang mit Wahn erfragt werden. • „Kennen Sie so etwas, dass für Sie Dinge in Ihrer Umgebung eine besondere Bedeutung haben?“ • „Kennen Sie den Gedanken (das Gefühl), dass – bestimmte Ereignisse des Alltags, die üblicherweise belanglos sind, plötzlich für Sie ganz persönlich eine bestimmte Bedeutung haben? – oder auch das Gefühl/die Befürchtung, dass bestimmte Handlungen von Ihnen zu ganz bestimmten Ergebnissen führen? – oder dass Sie im Zentrum der Aufmerksamkeit stehen, Sie von allen beobachtet werden? – oder dass Sie Dinge auf sich beziehen, obwohl dies gar nicht sein kann?“

Symptom	SF	Beispielfrage und/oder Anmerkungen
		Falls ja: • „Können Sie dies näher beschreiben?" Falls unklar, ggf. Beispiele nennen (z.B., dass Sie Gespräche anderer Leute auf sich beziehen, dass Sie sich von anderen beobachtet fühlen). Wichtig ist die *Abgrenzung vom Wahn*, d.h. es muss geprüft werden, ob sich der Patient noch distanzieren kann!
ZP4 desorganisiert	SF	Kann im Zusammenhang mit Antriebs- und psychomotorischen Störungen erfragt werden. • „Macht es Ihnen Mühe, Dinge zu planen und zu organisieren? Bekommen Sie manchmal Dinge nicht so recht auf die Reihe?" • „Macht es Ihnen Mühe, Dinge, die mehrere Schritte brauchen, zu erledigen?" • „Kommt es vor, dass Sie manchmal Dinge nur mit Unterstützung anderer bewältigen können?" Falls ja: • „Können Sie dies näher beschreiben?" Falls unklar, ggf. Beispiele nennen (z.B. einen Antrag ausfüllen, Dinge zu planen, einen Lebenslauf schreiben).
ZP5 distanzlos	F	(aus dem Gespräch zu erschließen)
ZP6 Gedankenlautwerden	S	Kann im Zusammenhang mit Stimmenhören oder Ich-Störungen erfragt werden. • „Passiert es Ihnen manchmal, dass Sie Ihre Gedanken laut im Kopf hören, fast wie eine Stimme von außen?" • „Wie geht es mit dem Denken? Manche Menschen erleben es, dass sie den Gedanken, den sie gerade im Kopf haben auch zusätzlich mit der eigenen Stimme noch hören können. Kennen Sie so etwas?"

Symptom	SF	Beispielfrage und/oder Anmerkungen
		• „Was meinen Sie, hören andere Menschen dann diese Gedanken von Ihnen auch oder spielt sich das nur für Sie hörbar in Ihrem Kopf ab?“ Falls ja: • „Können Sie dies näher beschreiben?“
ZP7 impulsiv	SF	Kann im Zusammenhang mit Störungen der Affektivität oder des Antriebs erfragt werden. • „Passiert es Ihnen manchmal, dass Sie ganz plötzlich wie aus heiterem Himmel etwas machen, ohne groß darüber nachzudenken?“ Falls ja: • „Können Sie dies näher beschreiben?“ Falls unklar, ggf. Beispiele nennen (z. B. Dinge kaufen; Dinge sagen, die einem hinterher leidtun). • „Kennen Sie so etwas, dass Sie ganz schnell Entscheidungen treffen, ohne hinreichend darüber nachgedacht zu haben?“ Falls ja: • „Sind Ihnen dadurch schon einmal Nachteile entstanden?“ • „Wurden Sie dabei manchmal auch schon richtig wütend oder sauer?“ • „Kennen Sie Situationen, in denen Sie in letzter Zeit zu impulsiv, zu übereilt, zu spontan handelten oder sprachen?“ • „Haben Sie sich dadurch sogar schon geschadet oder sind in echte Schwierigkeiten geraten? Zum Beispiel, sich am Arbeitsplatz ‚zu weit vorwagen‘; mit Fremden in eine ernste Auseinandersetzung geraten, z. B. im Verkehr, am Parkplatz; sich mit Freunden oder Familienangehörigen bei hitzigen Diskussionen überwerfen o. Ä.?“

Symptom	SF	Beispielfrage und/oder Anmerkungen
ZP8 Körperbild- störungen	S	Kann im Zusammenhang mit dem Symptom 54 „Depersonalisation“ erfragt werden. • „Welche Einstellung haben Sie zu Ihrem eigenen Körper? Sind Sie damit zufrieden oder stört Sie daran irgendetwas? Macht Ihnen das sehr zu schaffen? Beschäftigen Sie sich sehr damit?“ (Hier ggf. ein Beispiel, das der Patient genannt hat, aufgreifen). Falls unklar, Beispiele nennen (z. B. „Manchmal fühlen sich Menschen zu dick oder zu dünn, stören sich an bestimmten Körperteilen. Haben Sie schon einmal etwas dagegen unternommen, damit sich daran etwas ändert?“).
ZP9 Scham	S	Kann im Zusammenhang mit Störungen der Affektivität erfragt werden. • „Kennen Sie das Gefühl von Schüchternheit oder Verlegenheit?“ (Falls ja, Beispiele nennen lassen). „Wie oft kommt es vor? Sind es besondere Situationen?“ • „Manche Menschen leiden darunter, sich ohne oder bei geringstem Anlass zu schämen. Sie bemerken, wie sie rot werden, ihnen der Schweiß ausbricht usw., was die Sache dann nur noch schlimmer macht. Kennen Sie so etwas?“ • „Manchmal gibt es auch Ereignisse in der eigenen Lebensgeschichte, von denen niemand sonst weiß, über die man sich jedoch immer, wenn man daran denkt, schämt. Kennen Sie so etwas von sich selbst?“ • „Manche Menschen schämen sich sogar für andere, wenn diese z. B. Unsinn reden, oder sich sonst irgendwie ungewöhnlich verhalten. Kennen Sie so etwas von sich selbst?“

Symptom	SF	Beispielfrage und/oder Anmerkungen
ZP10 Überwertige Ideen	S	Kann im Zusammenhang mit Wahn erfragt werden und muss von diesem abgegrenzt werden. • „Kennen Sie so etwas, dass Dinge in Ihrer Umgebung eine besondere Bedeutung für Sie haben?“ Falls ja: • „Können Sie mir ein Beispiel nennen?“ • „Meinen Sie, dass das so stimmt? Wie reagieren Sie gefühlsmäßig darauf?“ (falls unklar, Beispiele nennen).
ZP11 Wortfindungs-störung	SF	Kann im Zusammenhang mit den formalen Denkstörungen erfragt werden. • „Passiert es Ihnen manchmal, dass Ihnen Wörter, die Sie eigentlich kennen, nicht (mehr) einfallen?“ Falls ja: • „Können Sie ein Beispiel geben?“ • „Wenn das passiert, versuchen Sie dann das Wort zu umschreiben oder auf Umwegen zu erklären?“ • „Bemerken Sie gelegentlich, dass Ihnen ein Begriff, z. B. ein Name, ein Ort, nicht einfällt, obwohl Sie diesen genau kennen und häufig benutzen, was Ihnen früher nicht passiert ist?“ • „Manche Patienten berichten, dass ihnen in letzter Zeit Wörter nicht sofort einfallen, dass sie etwas umschreiben müssen. Kennen Sie so etwas bei sich auch? Hat das zugenommen oder war das bei Ihnen schon immer so?“

Somatischer Befund

Symptom	SF	Beispielfrage und/oder Anmerkungen
ZS1 Parasomnien	SF	Kann im Zusammenhang mit den anderen Schlafmerkmalen erfragt werden. • „Haben Sie Probleme mit dem Schlaf?" Falls ja: • „Können Sie mir Beispiele nennen?" Wenn dem Patient spontan nichts dazu einfällt, die verschiedenen Punkte abfragen: • „Kennen Sie so etwas wie Schlafwandeln?" • „Kennen Sie so etwas wie Alpträume?" • „Kennen Sie so etwas, dass Sie nachts aus Ihrem Traum plötzlich aufwachen und dann einfach nicht wieder weiterschlafen?" • „Haben Sie, wenn Sie im Bett liegen, einen unangenehmen Bewegungsdrang in den Beinen?"
ZS2 Sexualität vermehrt	S	Kann im Zusammenhang mit dem Merkmal 109 „Sexualität vermindert" exploriert werden • „Haben Sie den Eindruck, dass sich Ihr sexuelles Interesse in letzter Zeit verändert hat?" Falls ja: • „Hat es im Vergleich zu früher eher zugenommen?" Falls ja: • „Können Sie mir ein Beispiel nennen?" Falls es dem Patient schwerfällt, etwas dazu zu sagen, evtl. Beispiele bringen (z. B. „Haben Sie mehr Interesse an sexuellen Dingen?", „Haben Sie in der letzten Zeit vermehrt sexuelle Kontakte?").

Symptom	SF	Beispielfrage und/oder Anmerkungen
ZS3 sexuelle Funktionsstörung	S	Kann im Zusammenhang mit dem Merkmal 109 „Sexualität vermindert“ exploriert werden • „Gab es in letzter Zeit Probleme mit der Sexualität?“ Falls ja: • „Können Sie mir ein Beispiel nennen?“ Falls der Patient die Frage nicht versteht, ggf. weitere Beispiele bringen (z. B. Erektionsstörungen, Orgasmusstörungen).

4.3 Beendigung des Interviews

Es gibt verschiedene Möglichkeiten, ein Gespräch zu beenden. Das Ende eines Interviews sollte rechtzeitig angekündigt werden und kann mit einer kurzen *Zusammenfassung der Hauptbeschwerden* eingeleitet werden, um dem Patienten zu zeigen, dass man ihn verstanden hat. Dies kann z. B. erfolgen mit

> „Sie haben mir berichtet, dass Sie ... Habe ich Sie da richtig verstanden?“

Da sich das AMDP-Interview auf die im Manual enthaltenen Symptome zentriert, bei Patienten auftretende Symptome jedoch vielfältiger sein können (z. B. in der ICD-10/-11 mehrere hundert), sollte das Gespräch immer mit einer offenen Frage nach weiteren Beschwerden beendet werden:

> - „Gibt es für Sie noch wichtige Dinge, Beschwerden oder Probleme, über die Sie noch nicht berichtet haben, über die wir noch nicht gesprochen haben?“
> - „Gibt es für Sie noch offene Fragen oder unklare Punkte?“

- „Gibt es für Sie noch etwas Wichtiges, das wir bisher noch nicht angesprochen haben?“
- „Habe ich irgendetwas vergessen zu fragen, was Ihnen aber wichtig ist und was ich noch wissen sollte, um Sie besser zu verstehen?“

Am *Ende des Gesprächs* sollte dem Patienten für die Mitarbeit gedankt und bei einer geplanten Wiederholung bereits auf diese hingewiesen werden. Ebenso sollte das weitere Vorgehen angesprochen werden (z. B. geplante Behandlungsschritte). Wichtig ist auch (entsprechend den allgemeinen Grundregeln der Gesprächsführung), gerade am Ende des Gesprächs, dem Patienten Hoffnung zu vermitteln im Hinblick auf die Zukunft und die Besserung seines momentanen Zustandes.

5 Schlussbemerkungen

Die Entwicklung dieses Interviewleitfadens folgt dem allgemeinen Trend, den Prozess der diagnostischen Erhebungen zu präzisieren und zu vereinheitlichen. Er hat das Ziel, die psychopathologische Befunderhebung mit dem AMDP-System im klinischen Alltag zu unterstützen und dem Anwender Hilfestellung bei der Informationserhebung zu geben. Der Leitfaden kann jedoch auch unabhängig von der Nutzung des AMDP-Systems Anwendung finden.

Obwohl der Interviewleitfaden seit vielen Jahren in der praktischen Anwendung ist, sind wir unverändert daran interessiert, ihn zu verbessern und weiterzuentwickeln. Deshalb bitten wir weiterhin alle Anwender und Nutzer des Leitfadens, uns ihre Rückmeldung und Kritik zu geben, damit bei einer weiteren Neuauflage diese dort einfließen können.

Diese sind zu richten an:

Prof. Dr. Rolf-Dieter Stieglitz
E-Mail: rdstieglitz@bluewin.ch

Literatur

Ahrens, B., Haug, H.-J., Lauterbach, E., Schaub, R.T., Schönell, H. & Stieglitz, R.-D. (2004). Der Interviewleitfaden zum AMDP-Modul zur Depression. In H.J. Freyberger & H.-J. Möller (Hrsg.), *Die AMDP-Module* (S. 79–93). Göttingen: Hogrefe.

AMDP (1979). *Das AMDP-System. Manual zur Dokumentation psychiatrischer Befunde* (3. Aufl.). Berlin: Springer.

AMDP (1995). *Das AMDP-System. Manual zur Dokumentation psychiatrischer Befunde* (5., überarbeitete Aufl.). Göttingen: Hogrefe.

AMDP (1997). *Das AMDP-System. Manual zur Dokumentation psychiatrischer Befunde* (6., unveränderte Aufl.). Göttingen: Hogrefe.

AMDP (2000). *Das AMDP-System. Manual zur Dokumentation psychiatrischer Befunde* (7., unveränderte Aufl.). Göttingen: Hogrefe.

AMDP (2007). *Das AMDP-System. Manual zur Dokumentation psychiatrischer Befunde* (8., überarbeitete Aufl.). Göttingen: Hogrefe.

AMDP (2016). *Das AMDP-System. Manual zur Dokumentation psychiatrischer Befunde* (9., überarbeitete und erweiterte Aufl.). Göttingen: Hogrefe.

AMDP (2023). *Das AMDP-System. Manual zur Dokumentation des psychischen Befundes in Psychiatrie, Psychotherapie und Psychosomatik* (11., vollständig überarbeitete Aufl.). Göttingen: Hogrefe.

AMDP & CIPS (1990). *Ratingscales for psychiatry*. Weinheim: Beltz.

AMP (1971). *Das AMP-System*. Berlin: Springer.

Angst, J., Battegay, R., Bente, D., Berner, P., Broeren, W., Cornu, F. et al. (1969). Das Dokumentations-System der Arbeitsgemeinschaft für Methodik und Dokumentation in der Psychiatrie (AMP). *Arzneimittel Forschung, 19*, 399–405.

Baumann, U. & Seidenstücker, G. (1977). Zur Taxonomie und Bewertung psychologischer Untersuchungsverfahren bei Psychopharmakaprüfungen. *Pharmakopsychiatrie, 10*, 165–175. https://doi.org/10.1055/s-0028-1094536

Baumann, U. & Stieglitz, R.-D. (1983). *Testmanual zum AMDP-System*. Berlin: Springer. https://doi.org/10.1007/978-3-642-69181-2

Baumann, U. & Stieglitz, R.-D. (1989). Evaluation des AMDP-Systems anhand der neueren Literatur (1983–1987). *Fortschritte der Neurologie und Psychiatrie, 57*, 357–373. https://doi.org/10.1055/s-2007-1001132

Baumann, U. & Stieglitz, R.-D. (1997). Das AMDP-System: ein psychologischer Test? In H.-J. Haug & R.-D. Stieglitz (Hrsg.), *Das AMDP-System in der klinischen Anwendung und Forschung* (S. 30–41). Göttingen: Hogrefe.

Beck, A.T., Ward, C., Mendelson, M., Mock, J. & Erlbaugh, J. (1962). Reliability of pychiatric diagnosis. 2. A study of consistency of clinical judgements and ratings. *American Journal of Psychiatry, 119*, 351–357. https://doi.org/10.1176/ajp.119.4.351

Bellebaum, A. (1976). Interview. In W. Arnold, H.J. Eysenck & R. Meili (Hrsg.), *Lexikon der Psychologie* (S. 219–223). Freiburg: Herder.

Berger, M. (Hrsg.). (2019). *Psychische Erkrankungen* (6. Aufl.). München: Elsevier.

Berger, M. & Stieglitz, R.-D. (1997). Die Bedeutung des AMDP-Systems in der Facharztweiterbildung. In H.-J. Haug & R.-D. Stieglitz (Hrsg.), *Das AMDP-System in der klinischen Anwendung und Forschung* (S. 124–127). Göttingen: Hogrefe.

Bobon, D. (1983). Foreign adaptations of the AMDP-system. In D. Bobon, U. Baumann, J. Angst, H. Helmchen & H. Hippius (Eds.), *AMDP-system in pharmacopsychiatry* (pp. 19–34). Basel: Karger.

Born, K. (2014). *Psychotherapeutische Diagnostik in der Praxis.* Weinheim: Beltz.

Bortz, J. (1984). *Lehrbuch der empirischen Forschung für Sozialwissenschaftler.* Berlin: Springer. https://doi.org/10.1007/978-3-662-00468-5

Busch, H. & Vogel, H.P. (1977). Unterschiedliches Dokumentationsverhalten: Frei formulierter vs. standardisierter psychopathologischer Befund (AMP-Beleg 3). *Methodik der Information in der Medizin, 16*, 131–137.

CIPS (1996). *Internationale Skalen für Psychiatrie* (4., überarbeitete Aufl.). Göttingen: Beltz Test.

CIPS (2005). *Internationale Skalen für Psychiatrie* (5., vollständig überarbeitete und erweiterte Aufl.). Göttingen: Beltz Test.

Cording, C., Gaebel, W., Spengler, P., Stieglitz, R.-D., Geiselhart, H., John, U. et al. (1995). Die neue Basisdokumentation. Eine Empfehlung der DGPPN zur Qualitätssicherung im (teil-)stationären Bereich. *Spektrum der Psychiatrie, Psychotherapie und Nervenheilkunde, 24*, 3–41.

Dilling, H. (2002). *Lexikon der ICD-10 Klassifikation psychischer Störungen.* Bern: Huber.

Dittmann, V. (1996). Die psychiatrische Untersuchung. In B. Neundörfer, E. Schneider, V. Dittmann & W. Pöldinger (Hrsg.), *Bildatlas der Psychiatrie* (S. 270–271). Karlsruhe: Braun.

Fähndrich, E. (1979). Erfassung und Dokumentation psychopathologischer Befunde. In M. Bergener (Hrsg.), *Mehrdimensionale Psychiatrie* (S. 47–72). Düsseldorf: Janssen.

Fähndrich, E., Helmchen, H. & Hippius, H. (1983). The history of the AMDP-System. In D. Bobon, U. Baumann, J. Angst, H. Helmchen & H. Hippius (Eds.), *AMDP-system in psychopharmacology* (pp. 1–9). Basel: Karger.

Fähndrich, E. & Renfordt, E. (1985). The AMDP-System for the documentation of psychiatric symptoms: Course and effectivity of a training seminar. *Pharmacopsychiatry, 18*, 278–281. https://doi.org/10.1055/s-2007-1017381

Fähndrich, E. & Stieglitz, R.-D. (1989). *Leitfaden zur Erfassung des psychopathologischen Befundes. Halbstrukturiertes Interview anhand des AMDP-Systems.* Berlin: Springer. https://doi.org/10.1007/978-3-642-74597-3

Fähndrich, E. & Woggon, B. (1997). Geschichte der AMDP. In H.-J. Haug & R.-D. Stieglitz (Hrsg.), *Das AMDP-System in der klinischen Anwendung und Forschung* (S. 15–20). Göttingen: Hogrefe.

Freyberger, H. J., Ermer, A. & Stieglitz, R.-D. (2012). Psychiatrische Untersuchung und Befunderhebung. In H. J. Freyberger, W. Schneider & R.-D. Stieglitz (Hrsg.), *Kompendium der Psychiatrie, Psychotherapie, Psychosomatischen Medizin* (12. Aufl., S. 5–16). Basel: Karger.

Gebhardt, R., Pietzcker, A., Strauss, A., Stoeckel, M., Langer, C. & Freudenthal, K. (1983). Skalenbildung im AMDP-System. *Archiv für Psychiatrie und Nervenkrankheiten, 233*, 223–245. https://doi.org/10.1007/BF00343598

Hamilton, M. (1967). Development of a rating scale for primary depressive illness. *British Journal of Social and Clinical Psychology, 6*, 278–296. https://doi.org/10.1111/j.2044-8260.1967.tb00530.x

Haug, A. (2017). *Psychiatrische Untersuchung. Ein Leitfaden für Studierende und Ärzte in Praxis und Klinik* (8. Aufl.). Berlin: Springer. https://doi.org/10.1007/978-3-662-54666-6

Haug, H.-J. & Stieglitz, R.-D. (Hrsg.). (1997). *Das AMDP-System in der klinischen Anwendung und Forschung.* Göttingen: Hogrefe.

Heimann, H. & Rein, W. (1983). Rater training for the use of psychiatric rating scales: Recommendations for the AMDP-System. In

D. Bobon, U. Baumann, J. Angst, H. Helmchen & H. Hippius (Eds.), *AMDP-system in psychopharmacology* (pp. 119–124). Basel: Karger.

Helzer, J. E. (1981). The use of structured diagnostic interview for routine psychiatric evaluations. *Journal of Mental Disease, 169*, 45–49. https://doi.org/10.1097/00005053-198101000-00006

Hoff, P. (1995). Allgemeine Einführung in die Psychopathologie. *TW Neurologie Psychiatrie, 9*, 182–188.

Hoff, P. (1997). Historische Aspekte psychopathologischer Befunderhebung. In H.-J. Haug & R.-D. Stieglitz (Hrsg.), *Das AMDP-System in der klinischen Anwendung und Forschung* (S. 7–14). Göttingen: Hogrefe.

Hron, A. (1982). Interview. In G. L. Huber & H. Mandl (Hrsg.), *Verbale Daten* (S. 119–140). Weinheim: Beltz.

Kessler, B. H. (1999). Daten aus dem Interview. In R. S. Jäger & F. Petermann (Hrsg.), *Psychologische Diagnostik* (4. Aufl.) (S. 429–439). Weinheim: Psychologische Verlags Union.

Kici, G. & Westhoff, K. (2000). Anforderungen psychologisch-diagnostischer Interviews in der Praxis. *Report Praxis, 25*, 428–453.

Knappe, S. & Härtling, S. (2017). *Diagnostik und Verhaltensanalyse*. Weinheim: Beltz.

Lienert, G. A. & Raatz, U. (1994). *Testaufbau und Testanalyse* (5. überarbeitete u. erweiterte Aufl.). Weinheim: Beltz.

Möller, H.-J., Laux, G., Deister, A. & Braun-Scharm, H. (2015). *Psychiatrie und Psychotherapie* (6. Aufl.). Stuttgart: Thieme.

Mombour, W. (1996). Die neuen nosologischen Klassifikationsverfahren DSM-III/DSM-III-R und ICD-8/9/10. In V. Faust (Hrsg.), *Psychiatrie* (S. 17–29). Stuttgart: Fischer.

Mormont, C. (1987). Systématisation de l'entretien clinique en fonction des échelles AMDP. *Acta Psychiatrica Belgica, 8*, 61–68.

Othmer, E. & Othmer, S. C. (1994). *The clinical interview using DSM-IV.* Volume 1: Fundamentals. Washington: American Psychiatric Press.

Petermann, F. (Hrsg.). (2012). *WAIS-IV. Wechsler Adult Intelligence Scale® – Forth Edition* (Deutsche Bearbeitung). Frankfurt a. M.: Pearson Testverfahren.

Pietzcker, A., Gebhardt, R., Strauss, A., Stöckel, M., Langer, C. & Freudenthal, K. (1983). The syndrome scales in the AMDP-System. In D. Bobon, U. Baumann, J. Angst, H. Helmchen & H. Hippius (Eds.), *The AMDP-system in psychopharmacology* (pp. 88–99). Basel: Karger. https://doi.org/10.1159/000407832

Prüfer, P. & Stiegler, A. (2002). *Die Durchführung standardisierter Interviews. Ein Leitfaden*. Mannheim: ZUMA.

Rösler, M., Thiel, A., Domke, A. & Stieglitz, R.-D. (2012). 50 Jahre AMDP-System – Eine Bestandsaufnahme. *Zeitschrift für Psychiatrie, Psychologie und Psychotherapie, 60*, 269–280. https://doi.org/10.1024/1661-4747/a000127

Saghir, M.T. (1971). A comparison of some aspects of structured and unstructured psychiatric interviews. *American Journal of Psychiatry, 128*, 180–184. https://doi.org/10.1176/ajp.128.2.180

Scharfetter, C. (1983). The psychopathological background of the AMDP-system. In D. Bobon, U. Baumann, J. Angst, H. Helmchen & H. Hippius (Eds.), *The AMDP-system in psychopharmacology* (pp. 46–54). Basel: Karger.

Schaub, R.T., Haug, H.-J., Schönell, H. & Linden, M. (1997). Qualitätssicherung und Basisdokumentation mit dem AMDP-System. In H.-J. Haug & R.-D. Stieglitz (Hrsg.), *Das AMDP-System in der klinischen Anwendung und Forschung* (S. 71–77). Göttingen: Hogrefe.

Schmidke, K. (1997). Neuropsychologische Syndrome. In A. Hufschmidt & C.H. Lücking (Hrsg.), *Neurologie compact* (S. 5–15). Stuttgart: Thieme.

Schmidt, L.R. & Kessler, B.H. (1976). *Anamnese*. Weinheim: Beltz.

Stieglitz, R.-D. (2008). *Diagnostik und Klassifikation in der Psychiatrie*. Stuttgart: Kohlhammer.

Stieglitz, R.-D., Ahrens, B. & Freyberger, H.J. (2001). Fremdbeurteilungsverfahren. In R.-D. Stieglitz, U. Baumann & H.J. Freyberger (Hrsg.), *Psychodiagnostik in Klinischer Psychologie, Psychiatrie, Psychotherapie* (S. 95–106). Stuttgart: Thieme.

Stieglitz, R.-D. & Ermer, A. (2004). Die AMDP-Checkliste zur Bewertung von Selbst- und Fremdgefährdung (AMDP-CLSF). In H.J. Freyberger & H.-J. Möller (Hrsg.), *Die AMDP-Module* (S. 151–157). Göttingen: Hogrefe.

Stieglitz, R.-D., Fähndrich, E. & Renfordt, E. (1988). Interrater study for the AMDP-system. *Pharmacopsychiatry, 21*, 451–452. https://doi.org/10.1055/s-2007-1017049

Stieglitz, R.-D. & Freyberger, H.J. (2019). Psychiatrische Untersuchung und Befunderhebung. In M. Berger (Hrsg.), *Psychische Erkrankungen* (6. Aufl., S. 17–34). München: Urban & Fischer.

Stieglitz, R.-D., Freyberger, H.-J. & Haug, H.-J. (1997). Symptomatologische, syndromatologische und klassifikatorische Diagnostik mit dem AMDP-System. In H.-J. Haug & R.-D. Stieglitz (Hrsg.), *Das AMDP-System in der klinischen Anwendung und Forschung* (S. 66–135). Göttingen: Hogrefe.

Stieglitz, R.-D. & Haug, A. (2023). Probleme und Fragen in der praktischen Anwendung von AMDP. In R.-D. Stieglitz, A. Haug, B. Kis, S. Kleinschmidt & A. Thiel (Hrsg.), *Praxisbuch AMDP* (2., aktualisierte und erweiterte Aufl.; S. 79–93). Göttingen: Hogrefe.

Stieglitz, R.-D., Haug, A., Fähndrich, E., Rösler, M. & Trabert, W. (2017). Comprehensive psychopathological assessment based on the Association for Methodology and Documentation in Psychiatry, (AMDP) System: Development, methodological foundation, application in clinical routine, and research. *Frontiers in Psychiatry, 8.* https://doi.org/10.3389/fpsyt.2017.00045

Stieglitz, R.-D., Haug, A., Kis, B., Kleinschmidt, S. & Thiel, A. (Hrsg.). (2023a). *Praxisbuch AMDP. Psychopathologische Befunderhebung – Grundlagen und Anwendungsbeispiele*. Göttingen: Hogrefe.

Stieglitz, R.-D., Jäger, M. & Freyberger, H.J. (2023b). Vom Symptom zur Diagnose. In R.-D. Stieglitz, A. Haug, B. Kis, S. Kleinschmidt & A. Thiel (Hrsg.), *Praxisbuch AMDP* (2., aktualisierte und erweiterte Aufl.; S. 67–78). Göttingen: Hogrefe.

Stieglitz, R.-D., Jäger, M. & Schaub, R. (2023c). Vom Symptom zum Syndrom. In R.-D. Stieglitz, A. Haug, B. Kis, S. Kleinschmidt & A. Thiel (Hrsg.), *Praxisbuch AMDP* (2., aktualisierte und erweiterte Aufl.; S. 56–66). Göttingen: Hogrefe.

Stieglitz, R.-D. & Schaub, R. T. (1997). Syndrombildung im AMDP-System. In H.-J. Haug & R.-D. Stieglitz (Hrsg.), *Das AMDP-System in der klinischen Anwendung und Forschung* (S. 143–149). Göttingen: Hogrefe.

Stieglitz, R.-D., Smolka, M., Bech, P. & Helmchen, H. (1998). *Die Bech-Rafaelsen-Melancholie-Skala (BRMS). Testmanual.* Göttingen: Hogrefe.

Trabert, W. & Luderer, H.-J. (1997). Psychopathologie-Seminare mit dem AMDP-System. In H.-J. Haug & R.-D. Stieglitz (Hrsg.), *Das AMDP-System in der klinischen Anwendung und Forschung* (S. 59–62). Göttingen: Hogrefe.

Volbert, R. (2003). Suggestibilität. In K. Kubinger & R.S. Jäger (Hrsg.), *Schlüsselbegriffe der Psychologischen Diagnostik* (S. 395–398). Weinheim: Beltz.

Ward, C.H., Beck, A.T., Mendelson, M., Mock, J. & Erbaugh, J.K. (1962). The psychiatric nomenclature. Reasons for diagnostic disagreement. *Archives of General Psychiatry, 7*, 198–205. https://doi.org/10.1001/archpsyc.1962.01720030044006

Westhoff, K. & Kluck, M.-L. (2014). *Psychologische Gutachten schreiben und beurteilen* (6. Aufl.). Berlin: Springer. https://doi.org/10.1007/978-3-642-35354-3

Williams, J.B.W. (1988). A structured interview guide for the Hamilton Depression Scale. *Archives of General Psychiatry, 45*, 742–747. https://doi.org/10.1001/archpsyc.1988.01800320058007

Wittchen, H.-U. (1993). Diagnostik psychischer Störungen: Über die Optimierung der Reliabilität zur Verbesserung der Validität? In M. Berger, H.-J. Möller & H.-U. Wittchen (Hrsg.), *Psychiatrie als empirische Wissenschaft* (S. 17–39). München: Zuckschwerdt.

Wittchen, H.-U., Freyberger, H.J. & Stieglitz, R.-D. (2001). Interviews. In R.-D. Stieglitz, U. Baumann & H.J. Freyberger (Hrsg.), *Psychodiagnostik in Klinischer Psychologie, Psychiatrie, Psychotherapie* (S. 107–117). Stuttgart: Thieme.

Wittchen, H.-U., Semler, G., Schramm, E. & Spengler, P. (1988). Diagnostik psychischer Störungen mit strukturierten und standardisierten Interviews: Konzepte und Vorgehensweisen. *Diagnostica, 34*, 58–84.

Woggon, B. (1979). Einstufung von AMP-Symptomen bezüglich Fremd- und Selbstbeurteilung. *Internationale Pharmakopsychiatrie, 14*, 158–169. https://doi.org/10.1159/000468374

Anhang

Anhang A: AMDP-Syndrome

I Primärskalen zum AMDP-System nach Gebhardt et al. (1983)

Skala 1: Paranoid-halluzinatorisches Syndrom (PARHAL)	
33	Wahnstimmung
34	Wahnwahrnehmung
35	Wahneinfall
36	Wahngedanken
37	Systematisierter Wahn
38	Wahndynamik
39	Beziehungswahn
40	Beeinträchtigungs- und Verfolgungswahn
48	Stimmenhören
51	Körperhalluzinationen
54	Depersonalisation
56	Gedankenentzug
58	Andere Fremdbeeinflussungserlebnisse

Skala 2: Depressives Syndrom (DEPRES)	
20	Grübeln
60	Gefühl der Gefühllosigkeit
62	Störung der Vitalgefühle
63	Deprimiert
64	Hoffnungslos
71	Insuffizienzgefühle
73	Schuldgefühle
81	Antriebsgehemmt
89	Morgens schlechter
102	Durchschlafstörungen
103	Verkürzung der Schlafdauer
104	Früherwachen
106	Appetit vermindert

Skala 3: Psychoorganisches Syndrom (PSYORG)	
2	Bewusstseinstrübung
5	Zeitliche Orientierungsstörung
6	Örtliche Orientierungsstörung
7	Situative Orientierungsstörung
8	Orientierungsstörung über die eigene Person
9	Auffassungsstörungen
11	Merkfähigkeitsstörungen
12	Gedächtnisstörungen
13	Konfabulationen
100	Pflegebedürftig
Skala 4: Manisches Syndrom (MANI)	
22	Ideenflüchtig
66	Euphorisch
72	Gesteigertes Selbstwertgefühl
82	Antriebsgesteigert
83	Motorisch unruhig
88	Logorrhoisch
93	Soziale Umtriebigkeit
Skala 5: Hostilitätssyndrom (HOST)	
27	Misstrauen
67	Dysphorisch
68	Gereizt
94	Aggressivität
97	Mangel an Krankheitsgefühl
98	Mangel an Krankheitseinsicht
99	Ablehnung der Behandlung

Skala 6: Vegetatives Syndrom (VEGET)	
28	Hypochondrie
112	Übelkeit
117	Atembeschwerden
118	Schwindel
119	Herzklopfen
120	Herzdruck
122	Schwitzen vermehrt
126	Kopfdruck
129	Hitzegefühl
Skala 7: Apathisches Syndrom (APA)	
15	Gehemmt
16	Verlangsamt
17	Umständlich
18	Eingeengt
61	Affektarm
79	Affektstarr
80	Antriebsarm
92	Sozialer Rückzug
Skala 8: Zwangssyndrom (ZWANG)	
30	Zwangsdenken
31	Zwangsimpulse
32	Zwangshandlungen
Skala 9: Neurologisches Syndrom (NEUROL)[1]	
132	Rigor
133	Muskeltonus erniedrigt
134	Tremor
135	Dyskinesien
136	Hypokinesen
137	Akathisie
139	Nystagmus
–	Cerebrale Krampfanfälle

Anmerkung: [1] Nicht empirisch ermittelt, a-priori-Skala.

II Übergeordnete Skalen zum AMDP-System nach Gebhardt et al. (1983)

Übergeordnete Skala: Paranoid-halluzinatorisches Symptomatik PARHAL (Ü)	
33	Wahnstimmung
34	Wahnwahrnehmung
35	Wahneinfall
36	Wahngedanken
37	Systematisierter Wahn
38	Wahndynamik
39	Beziehungswahn
40	Beeinträchtigungs- und Verfolgungswahn
48	Stimmenhören
51	Körperhalluzinationen
54	Depersonalisation
56	Gedankenentzug
58	Andere Fremdbeeinflussungserlebnisse
97	Mangel an Krankheitsgefühl
98	Mangel an Krankheitseinsicht

Übergeordnete Skala: Depressive Symptomatik DEPRES (Ü)	
15	Gehemmt
16	Verlangsamt
18	Eingeengt
20	Grübeln
60	Gefühl der Gefühllosigkeit
62	Störung der Vitalgefühle
63	Deprimiert
64	Hoffnungslos
71	Insuffizienzgefühle
73	Schuldgefühle
80	Antriebsarm
81	Antriebsgehemmt
89	Morgens schlechter
92	Sozialer Rückzug
102	Durchschlafstörungen
106	Appetit vermindert

Übergeordnete Skala: Psychoorganische Symptomatik PSYORG (Ü)

2	Bewusstseinstrübung
5	Zeitliche Orientierungsstörungen
6	Örtliche Orientierungsstörungen
7	Situative Orientierungsstörungen
8	Orientierungsstörungen über die eigene Person
9	Auffassungsstörungen
11	Merkfähigkeitsstörungen
12	Gedächtnisstörungen
13	Konfabulationen
100	Pflegebedürftig

Anhang B: Normwerte für die AMDP-Syndrome

Rohwerte	PARHAL	DEPRES	PSYORG	MANI	HOST	VEGET	APA	ZWANG	PARHAL (Ü)	DEPRES (Ü)	PSYORG (Ü)	Rohwerte
0	43	31	42	42	40	42	35		41	27	42	**0**
1	50	38	51	51	48	51	43		47	35	51	**1**
2	54	43	56	56	52	56	48		51	40	56	**2**
3	56	46	60	59	56	60	52		54	43	60	**3**
4	59	48	62	62	58	63	54		56	46	62	**4**
5	60	50	65	64	60	65	56		57	48	65	**5**
6	62	52	67	66	62	67	58		59	49	67	**6**
7	63	53	68	68	63	69	60		60	51	68	**7**
8	64	55	70	69	65	71	61		61	52	70	**8**
9	65	56	71	71	66	72	62		62	53	71	**9**
10	66	57	72	72	67	73	63		63	55	72	**10**
11	67	58	73	73	68	74	64		64	56	73	**11**
12	68	59	74	74	69	75	65		65	56	74	**12**
13	69	59	75	75	69	76	66		65	57	75	**13**
14	69	60	76	76	70	77	67		66	58	76	**14**
15	70	61	77	76	71	78	68		66	59	77	**15**
16	70	61	78	77	72	79	69		67	60	78	**16**
17	71	62	79	78	72	80	69		68	60	79	**17**
18	72	63	79	79	73	81	70		68	61	79	**18**
19	72	63	80	79	73	81	70		69	61	80	**19**
20	73	64	81	80	74	82	71		69	62	81	**20**
21	73	64	81		74		72		69	62	81	**21**
22	73	65	82				72		70	63	82	**22**
23	74	65	82				73		70	63	82	**23**
24	74	66	83						71	63	83	**24**
25	75	66	83						71	64	83	**25**
26	75	66							71	65		**26**

Rohwerte	PARHAL	DEPRES	PSYORG	MANI	HOST	VEGET	APA	ZWANG	PARHAL (Ü)	DEPRES (Ü)	PSYORG (Ü)	Rohwerte
27	75	67							72	65		**27**
28	75	67							72	66		**28**
29	76	67							72	66		**29**
30	76	68							73	66		**30**
31	76	68							73	67		**31**
32	76	68							73	67		**32**
33	77	69							73	67		**33**
34	77	69							74	68		**34**
35		69							69	68		**35**
36									74	74		**36**
37									74	68		**37**
38									74	69		**38**
39									75	69		**39**
40										69		**40**
41										70		**41**
42										70		**42**
43										70		**43**
44										71		**44**
M	2.89	7.44	1.77	1.82	2.72	1.62	3.88	0.16	3.99	8.37	1.73	
s	5.18	6.64	3.22	3.12	3.71	2.58	3.86	0.75	6.04	8.07	3.15	

Berechnung der Syndrome: Die Rohwerte der einzelnen Syndrome werden durch Aufsummierung der Bewertungen auf den Dokumentationsbelegen bestimmt (nicht vorhanden/keine Aussage = 0, leicht = 1, mittel = 2, schwer = 3).

Umrechnungstabelle Rohwerte/T-Werte der Syndromskalen von Gebhardt et al. (1983): Nach dieser Tabelle dürfen nur die Rohwerte (RW) einzelner Patienten transformiert werden. Eine Transformation der Mittelwerte von Gruppen ist wegen der vorgeschalteten logarithmischen Transformation nicht zulässig. Die T-Mittelwerte für eine Gruppe von Patienten sind aus den T-Werten der einzelnen Patienten zu berechnen!

Beispiel: Ein Patient erreicht im „Hostilitätssyndrom" einen RW von 13, was einem T-Wert von 69 entspricht und als weit überdurchschnittlich zu interpretieren ist (vgl. im Detail auch Stieglitz et al., 2023c).

Abkürzungen vgl. Anhang A

Anhang C: Klinische Prüfungen

Im AMDP-System gibt es einige Symptome, deren Bewertung unbedingt explizite Prüfungen erfordern. Hierzu zählen Symptome vor allem aus den Bereichen Orientierungsstörungen, Aufmerksamkeits- und Gedächtnisstörungen. Während die *Orientierungsstörungen* durch die im Interviewleitfaden explizit aufgeführten Fragen zu überprüfen sind, bedarf es für die nachfolgenden Symptome aus dem Bereich der *Aufmerksamkeits- und Gedächtnisstörungen* u.U. weiterer Überprüfungen. Dies gilt bei folgenden Symptomen:

- 9 „Auffassungsstörungen",
- 10 „Konzentrationsstörungen",
- 11 „Merkfähigkeitsstörungen",
- 12 „Gedächtnisstörungen".

Diese Symptome lassen sich zwar oft auch aus dem Gesprächsverlauf heraus erkennen bzw. durch Berichte des Patienten bewerten, auf eine klinische Prüfung darf jedoch auf keinen Fall verzichtet werden. Um dem Untersucher hier Hilfestellung zu geben, finden sich nachfolgend Beispiele, wie Prüfungen erfolgen können. An dieser Stelle muss nochmals darauf hingewiesen werden, dass es sich lediglich um grobe klinische Prüfungen handeln kann, die keine differenzierte allgemeine oder neuropsychologische Leistungsuntersuchung ersetzen können!

Sie haben somit eher die Funktion von Screening oder von sog. Bedside-Tests. Die ausgewählten Beispiele orientieren sich an allgemeinen Vorschlägen zur Prüfung (z.B. Schmidke, 1997) sowie „klassischen" Testverfahren aus dem Leistungsbereich (vor allem WAIS-IV. Wechsler Adult Intelligence Scale – Forth Edition; Petermann, 2012).

Symptom 9 „Auffassungsstörungen"

- Im klinischen Gespräch oft dadurch zu beobachten, dass der Patient Schwierigkeiten hat, Fragen in ihrer Bedeutung zu verstehen.

- Die klinische Prüfung kann durch drei mögliche Vorgehensweisen erfolgen: Vorgabe von zu erklärenden Sprichworten, Aufforderung, Gemeinsamkeiten bzw. Unterschiede zwischen Wortpaaren zu erklären oder den Patienten den Sinngehalt von Fabeln erklären lassen.

Sprichworte

Zur Überprüfung der Auffassung bietet sich die Vorgabe von Sprichworten an. Da es sich um die Bewertung der Abstraktionsfähigkeit handelt, müssen die Sprichworte vom Patienten nicht unbedingt gekannt werden.

Bei nicht deutschsprachig aufgewachsenen Patienten sollte jedoch auf Sprichworte (wie auch Fabeln) verzichtet werden, da sie stark sprach- und kulturabhängig sind.

Nachfolgend findet sich eine Zusammenstellung von Sprichwörtern als Vorschläge. Bei der Zusammenstellung wurde versucht, diese grob hinsichtlich des Schweregrades zu klassifizieren:

- *eher leichte Sprichworte*
  - Ehrlich währt am längsten.
  - Ein Unglück kommt selten allein.
  - Es ist nicht alles Gold was glänzt.
  - Geld alleine macht nicht glücklich.
  - Not macht erfinderisch.
  - Was ich nicht weiß, macht mich nicht heiß.
  - Wer den Pfennig nicht ehrt, ist des Talers nicht wert.
- *eher mittelschwere Sprichworte*
  - Aus dem Auge, aus dem Sinn.
  - Eine Hand wäscht die andere.
  - Lügen haben kurze Beine.
  - Man sollte das Eisen schmieden, so lange es heiß ist.
  - Steter Tropfen höhlt den Stein.
  - Stille Wasser sind tief.
  - Viele Köche verderben den Brei.
- *eher schwere Sprichworte*
  - Der Lauscher an der Wand hört seine eigene Schand.
  - Eine Schwalbe macht noch keinen Sommer.

- Wer im Glashaus sitzt, sollte nicht mit Steinen werfen.
- Wer zuerst kommt, mahlt zuerst.
- Wo gehobelt wird, fallen Späne.
- Wo ein Wille ist, ist auch ein Weg.

Fabeln

Alternativ zu Sprichwörtern können auch Fabeln vorgegeben werden, die jedoch in der Regel einen höheren Schwierigkeitsgrad aufweisen. Fabeln kann man einer Vielzahl von Büchern entnehmen.

Exemplarisch an dieser Stelle sei eine Fabel genannt, die in verschiedenen psychiatrischen Büchern oft als Beispiel aufgeführt wird.

Fabel „Der mit Salz beladene Esel“

Ein Esel, der mit Salz beladen war, musste durch einen Fluss waten. Er fiel hin und blieb einige Augenblicke in der kühlen Flut liegen. Beim Aufstehen fühlte er sich um einen großen Teil seiner Last erleichtert, weil sich das Salz im Wasser aufgelöst hatte. Langohr merkte sich diesen Vorteil und wandte ihn gleich am nächsten Tag an, als er, mit Schwämmen beladen, wieder durch diesen Fluss musste.

Diesmal fiel er aber absichtlich hin, sah sich aber arg getäuscht. Die Schwämme hatten nämlich das Wasser aufgesogen und waren nun bedeutend schwerer als vorher. Die Last war so groß, dass er unterging.

→ Ein Mittel taugt nicht für alle Fälle.

Ebenfalls exemplarisch sei folgendes Buch genannt, in dem sich viele weitere Fabeln finden:

Theodor Etzel (o. J.): *Fabeln und Parabeln der Weltliteratur*. Köln: Komet.

Wortpaare

Die einfachste klinische Überprüfung der Auffassung bietet sich durch die Vorgabe von Wortpaaren, deren *Gemeinsamkeit* zu erläutern ist:

a. *eher leichte Wortpaare*
   Apfelsine – Banane
   Norden – Süden
b. *eher mittelschwere Wortpaare*
   Buch – Fernseher
   Auge – Ohr
c. *eher schwer Wortpaare*
   Zoo – Bücherei
   Arbeit – Spiel

Es können aber auch *Unterschiede* zwischen Begriffspaaren erfragt werden wie z. B. Treppe – Leiter, Haus – Zelt, Fahrrad – Motorrad.

Symptom 10 „Konzentrationsstörungen"

Im klinischen Gespräch sind Konzentrationsstörungen oft dadurch zu beobachten, dass der Patient Schwierigkeiten hat, Fragen zu folgen oder den Faden verliert. Hier sollte gleich nachgefragt werden bzw. der Patient darauf aufmerksam gemacht werden.

Die klinische Prüfung kann entsprechend den im Interviewleitfaden aufgeführten Möglichkeiten erfolgen (vgl. Kapitel 4.2.3). Folgende weitere Möglichkeiten gibt es:

- Zahlen unterschiedlicher Länge vorwärts und rückwärts nachsprechen lassen (z. B. 5-7; 4-2-9; 3-1-8-5 usw.).
- Kurzen Text vorlesen und nacherzählen lassen.

Symptom 11 „Merkfähigkeitsstörungen"

Im klinischen Gespräch oft dadurch zu beobachten, dass der Patient Schwierigkeiten hat, sich zu erinnern, was bereits kurz vorher besprochen wurde.

Die klinische Prüfung kann erfolgen durch
- Fragen nach bereits kurz vorher besprochenen Aspekten,
- Vorgabe und Wiederholen lassen von drei Begriffen innerhalb von 10 Minuten (z.B. 34 – Oslo – Aschenbecher).

Symptom 12 „Gedächtnisstörungen“

Im klinischen Gespräch oft dadurch zu beobachten, dass der Patient Schwierigkeiten hat, z.B. sich an wichtige Aspekte die Behandlung betreffend, zu erinnern (z.B. Name des Behandlers, Medikamente).

Die klinische Prüfung kann erfolgen durch
- Fragen nach dem Behandler,
- Fragen, was es gestern im Fernsehen/zu essen gab,
- Tagesablauf des Patienten schildern lassen.

Anhang D: AMDP-Trainingsseminare

Die Durchführung von Fremdbeurteilungsverfahren setzt zunächst ein umfassendes Training voraus (Stieglitz, 2008; Stieglitz et al., 2023a). Dies gilt selbst für relativ kurze Verfahren, wie z. B. die Bech-Rafaelsen-Melancholie-Skala (BRMS) mit nur 11 Items (vgl. Stieglitz et al., 1998). Umso mehr gilt dies für ein komplexes Dokumentationssystems wie dem AMDP-System, wobei sich hier das Training selbst meist nur auf den Psychopathologischen Befund zentriert. Die Erhebung der Informationen zu den anderen Bereichen des Systems (Anamnese und Somatischer Befund) stellt sich als weniger problematisch dar, da hier keine klinischen Entscheidungen und Bewertungen vorzunehmen sind.

Einführungen in Form von AMDP-Trainingsseminaren werden von der AMDP seit über 40 Jahren angeboten. Aufgrund der daraus resultierenden Erfahrungen wurden die Inhalte immer wieder modifiziert. Meist bestehen sie aus zwei großen Teilkomplexen:

- theoretische Einführung in das AMDP-System sowie
- praktische Übungen mit dem AMDP-System.

In der *theoretischen Einführung* geht es um die Vermittlung der Grundlagen, die zum Verständnis des Systems notwendig sind. Diese umfasst folgende Punkte:

- Entwicklung des Systems,
- Aufbau des Systems,
- Beurteilungsgrundlagen,
- Gesprächsführung sowie
- Anwendungsmöglichkeiten.

Das Kernstück der Trainingsseminare besteht in *praktischen Übungen* in der Anwendung des Systems. Trainiert wird dabei der Psychische Befund, da erfahrungsgemäß für die anderen Belege des Systems (Anamnese, Somatischer Befund) weniger Trainingsbedarf besteht. Als Grundlage der Übungen dienen videodokumentierte Patienten aus unterschiedlichen Störungsgruppen (i. d. R. organische Störungen, schizophrene Störungen, affektive Störungen) sowie Live-Gespräche mit Patienten. Die Ergebnisse dieser Gespräche werden dann von jedem Teilnehmer unabhängig voneinander auf dem Dokumentationsbogen Psychischer Befund markiert. Im Anschluss daran werden alle Symptome ausführlich diskutiert. Besonders geachtet wird dabei auf

- das Problem der Quantifizierung,
- das Problem der Informationserhebung (Gesprächsführung) sowie
- das Problem der Abgrenzung der einzelnen psychopathologischen Begriffe.

Hinsichtlich des Umfangs von AMDP-Trainingsseminaren gibt es keine verbindlichen Vorgaben (vgl. AMDP, 2023). Je nach Status der Qualifikation der Teilnehmer sind kurze Seminare von einem bis anderthalb Tagen sinnvoll. Bei Einführungsseminaren empfiehlt sich eine Dauer von anderthalb Tagen u. a. mit der allgemeinen Einführung in das AMDP-System, der Darstellung einer möglichen Gesprächsführung sowie der Präsentation von allgemeinen Anwendungsmöglichkeiten.

Die Seminare werden für Teilnehmer aus unterschiedlichen Institutionen oder aber auf Anfrage auch innerhalb einer Institution regional angeboten.

Nähere Informationen zu den Trainingsseminaren finden sich in Trabert und Luderer (1997), im Praxisbuch AMDP (Stieglitz et al., 2023a) sowie auf der Homepage von AMDP (www.amdp.de bzw. www.amdp.ch).

Anhang E: Weiterführende Literatur

Mit dem vorliegenden Interviewleitfaden werden Explorationsstrategien und Fragen vorgeschlagen, wie man die im AMDP-System enthaltenen Symptome des Psychischen und Somatischen Befundes erfassen kann.

Ergänzend dazu kann weitere Literatur genutzt werden. Will man noch expliziter Symptome, bezogen auf DSM-IV/-5, explorieren, so bieten sich die Bücher von Carlat (2013) und Nussbaum (2013) an. In beiden finden sich neben allgemein interessanten Ausführungen zur Befunderhebung für viele diagnostische Kriterien der wichtigsten Störungsgruppen Beispielfragen. Aigner et al. (2020) gehen von einer syndromalen Befunderhebung aus und gehen mit Fragebeispielen über die AMDP-Merkmalsbereiche hinaus.

Über die reine psychopathologische Befunderhebung und AMDP hinaus finden sich in Jacob et al. (2009) Hinweise für den Umgang mit schwierigen Gesprächssituationen. Angesprochen und mit Lösungsvorschlägen skizzierte Bereiche sind u. a. falsche Angaben und Suizidalität, aber auch interaktionelle Prozesse.

Literatur

Aigner, M., Paulitsch, K., Berg, D. & Lenz, G. (2020). *Psychopathologie. Anleitung zu psychiatrischen Explorationen* (2. Aufl.). Wien: Facultas.

Carlat, D. J. (2013). *Das psychiatrische Gespräch. Interviewstrategie, Anamnese, Befunderhebung, diagnostische und therapeutische Gesprächstechniken*. Bern: Huber.

Jacob, G., Lieb, K. & Berger, M. (2009). *Schwierige Gesprächssituationen in Psychiatrie und Psychotherapie*. München: Elsevier.

Nussbaum, A. M. (2013). *The pocket guide to the DSM-5 diagnostic exam*. Washington: APA.

Sachverzeichnis

Die in Klammern gesetzten Zahlen bezeichnen die jeweiligen Merkmalsnummerierungen.

A

B

C

D

E

F

G

H

I

K

L

M

N

O

P

Q

R

S

W

Z